SVERIGE

Flygbilder: LANTMÄTERIVERKET / Fotografer:
              Lars Bygdemark, Bengt Johanson
              Bengt Lindecrantz, Rutger Segemark

Red., text: Gunnar Schalin / ESSELTE KARTOR

© 1985:   ESSELTE KARTOR AB, STOCKHOLM /
          LANTMÄTERIVERKET, GÄVLE
          Andra reviderade upplagan
   ISBN   91-7058-255-6

          Flygbilderna godkända för spridning
          Lantmäteriverket 1985-04-30

   Tryck: AARHUS STIFTSBOGTRYKKERIE, ÅRHUS 1985

SVERIGE

100

Aerial photos
Photos aériennes
Luftbilder
Ilmakuvia
Flygbilder

utgiven av

ESSELTE KARTOR AB

i samarbete med
Lantmäteriet

We want to show you the Sweden you haven't seen and the Sweden you might already know, but in a new way: Sweden as Selma Lagerlöf described it, as her Nils Holgersson saw it from the air. The Sweden of yesterday, today and tomorrow, seen through our eyes with our joy of discovery, inspired and fascinated by the many faces of Sweden — as we have seen them.

This is a very personal selection; subjective, because we have included unusual pictures and subjects which only for a fleeting moment captured the photographer's eye. These pictures are simply beautiful or unique. The selection is also objective because we have tried to capture all the seasons of the year and all types of scenery. We are proud to present this book, even though we would have liked to show you even more. This is what we can give: our way of seeing our Sweden.

L'intention de cet ouvrage est de découvrir la Suède d'une manière inhabituelle. Dans la perspective de Nils Holgersson qui, juché sur le dos d'une oie, survola le pays imaginaire de Selma Lagerlöf. La Suède d'alors et celle d'aujourd'hui telle qu'elle nous a paru : mille visages fascinants, mettant au coeur un brin de bonheur éphémèr et beaucoup d'espoir en l'avenir.

Nous soumettons à votre appréciation des photos singulières, retraçant des moments fugitifs au survol de maintes régions ou des paysages en diverses saisons. Nous sommes heureux de partager avec vous nos souvenirs inoubliables.

Wir möchten Ihnen gerne das Schweden zeigen, das Sie noch nicht gesehen haben — und das Schweden, das Sie vielleicht schon kennen, auf eine neue Art und Weise. Schweden, wie Selma Lagerlöf es sah, wie Nils Holgersson es mit den Flügeln der Phantasie sah. Das Schweden von gestern, heute und morgen, mit unseren Augen, mit Entdeckerfreude, inspiriert und fasziniert von allen den Gesichtern Schwedens; Ihnen zeigen, was wir sahen.

Dies ist eine sehr persönliche Auswahl, subjektiv — weil wir auch ungewöhnliche Aufnahmen zeigen, Motive, die in flüchtigen Augenblicken das Auge des Fotografen fingen, Aufnahmen, die nur schön oder einmalig sind. Die Auswahl ist jedoch objektiv — denn wir versuchten auch, alle Jahreszeiten und alle Landschaften Schwedens zu fangen. Wir würden gern noch viel mehr zeigen. Aber mit Freude geben wir Ihnen, was wir Ihnen geben können: Unsere Art Schweden zu sehen.

Haluamme näyttää Sinulle sen Ruotsin jota et ole nähnyt — ja Ruotsia uusilla tavoilla. Näytämme sen niin kuin Selma Lagerlöf näki sen mielikuvituksen siiviltä, niin kuin Nils Holgersson näki sen. Eilispäivän, tämän päivän ja huomispäivän Ruotsin, meidän silmillämme, löytäjän ilolla, Ruotsin kaikkien erivivahteisten kasvojen innoittamina ja lumoamina haluamme näyttää sinulle mitä me olemme nähneet.

Tämä on erittäin henkilökohtainen valikoima, omakohtainen — syystä että näytämme myös sellaista, jota valokuvaajan silmä on vanginnut vain kiitävän tuokion ajan, kauniita tai ainutlaatuisia kuvia. Kuitenkin olemme ensi sijassa yrittäneet kuvata kaikki vuodenajat ja kaikki maakunnat. Olisimme halunneet näyttää paljon enemmän. Mutta annamme sinulle ilolla sen mitä me pystymme antamaan: meidän tapamme nähdä Ruotsi.

Vi vill visa dig ett Sverige du inte sett — och det Sverige du känner väl, men på nya sätt: Sverige som Selma Lagerlöf beskrev det, som Nils Holgersson såg det från fantasiens gåsarygg. Gårdagens, dagens och morgondagens Sverige; med våra ögon, med upptäckarglädje, inspirerade och fascinerade av Sveriges alla ansikten vill vi visa dig vad vi har sett.

Detta är ett mycket personligt urval, subjektivt — därför att vi har valt att visa även udda bilder, motiv som i ett flyktigt ögonblick fångat fotografens öga, bilder som bara är vackra eller unika. Urvalet är ändå objektivt - för vi har också sökt fånga alla årstider och alla landskap. Mycket mer hade vi velat visa. Men med glädje ger vi dig vad vi kan ge: vårt sätt att se vårt Sverige.

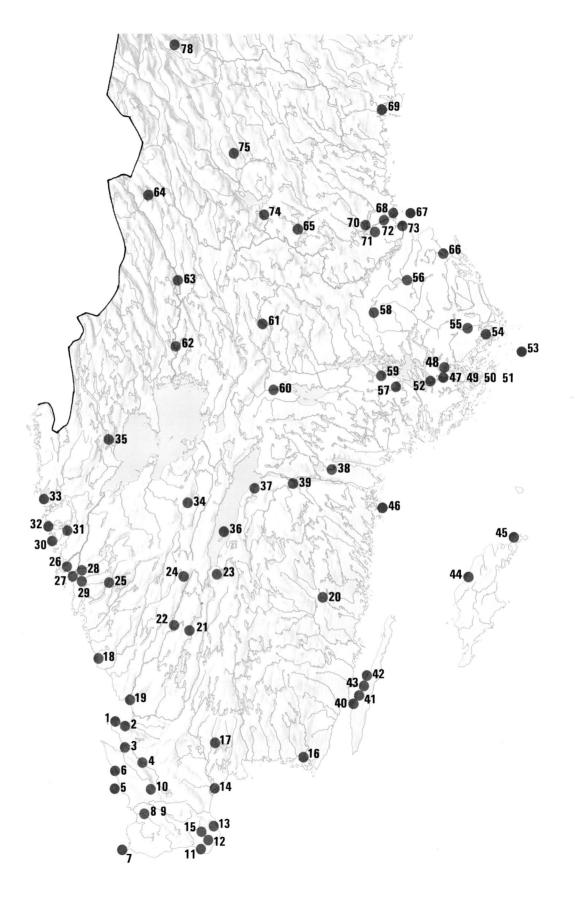

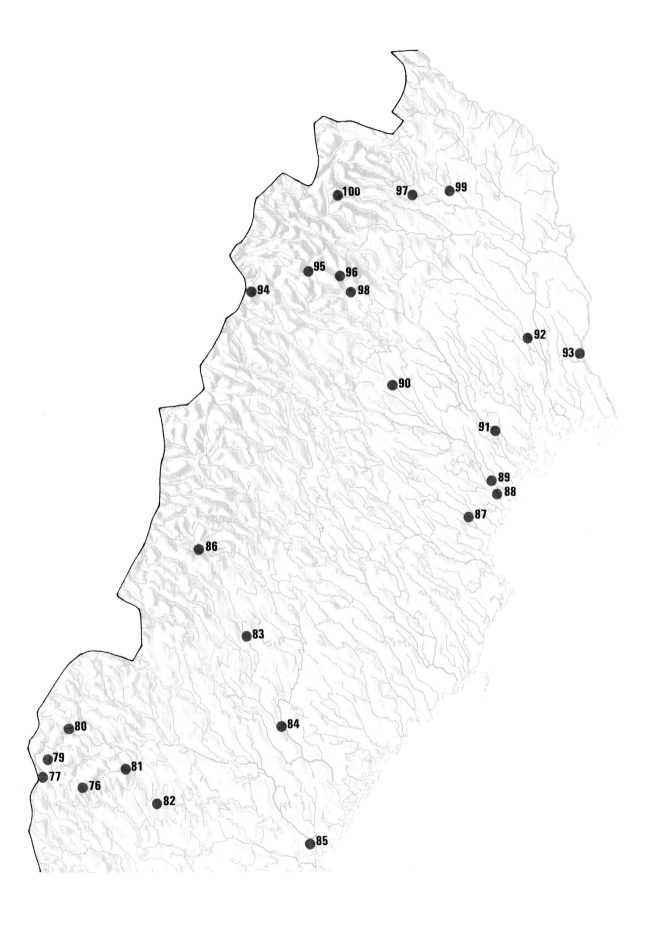

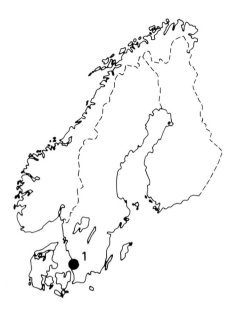

Hovs Hallar

Bjärehalvön, Skåne
Naturskyddsområde
19.6.1983, 200 m

Down the millennia, autumnal storms and wintry weather have moulded the bedrock into a unique summer paradise. Here are caves to explore, polished rock pavements, beaches sheltering below cliffs and bathing spots amidst the rock pillars.

Il a fallu des millions d'années pour que le vent, la glace, la pluie érodent la roche avant de devenir un paradis fantastique A la grande joie des amateurs de spéléologie et de minéralogie, des galets à perte de vue, des formations rocheuses offrant un abri — et des criques entre les écueils.

Die Herbststürme und das Winterwetter vieler Millionen Jahre formten hier die Urgebirgslandschaft zu einem einmaligen Sommer-Paradies. Hier gibt es Höhlen zum Ausforschen und faszinierende Rollsteinfelder. Die Strandfelsen schützen vor Wind und bilden Badebuchten zwischen den Klippen.

Miljoonien vuosien syysmyrskyt ja talvisäät ovat muodostaneet täällä peruskalliomaiseman ainutlaatuiseksi kesäparatiisiksi. Täällä on luolia tutkittaviksi, lumoavia pyöreitä hiottuja rantakivikenttiä, rantajyrkänne joka antaa tuulen suojan — ja uimapoukamia raukkien välissä.

Årmiljoners höststormar och vinterväder har här format urbergslandskapet till ett unikt sommarparadis. Här finns grottor att utforska, fascinerande klapperstensfält, strandklinten som ger lä — och badvikar mellan raukarna.

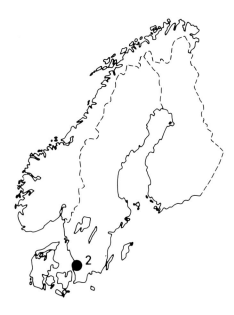

Norrvikens trädgårdar

Båstad, Skåne
Grundad 1906 av Rudolf Abelin
19.6.1983, 150 m

This establishment displays a wide variety of garden: − spice and vegetable gardens, landscaped gardens in the baroque, renaissance and Japanese styles, orchards and rose gardens.

Jardins fantastiques de par la diversité des aménagements: cultures dépices et de légumes; jardins de style baroque, renaissance et japonais, arboriculture et roseraie.

Die Stilgärten umfassen die unterschiedlichsten Arten von Anlagen: Kreutergärten und Gemüsebeete, Gärten in Barock-, Renaissance- und japanischem Stil, Obstplantagen und Rosengärten.

Tyylipuutarhat käsittävät mitä erilaisimpia viljelmiä: ryytitarhoja ja vihannesviljelyksiä, barokki-, renesanssi- ja japanilaistyylisiä puutarhoja, hedelmäviljelyksiä ja ruusutarhoja.

Stilträdgårdarna omfattar de mest skilda slag av anläggningar: kryddgårdar och grönsaksodlingar, trädgårdar i barock, renässans och japansk stil, fruktodlingar och rosengårdar.

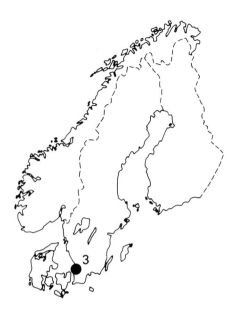

Ängelholm

Skåne
10.6.1982, 150 m

Much loving care has gone into these miniature summer retreats. No cottage is exactly like its neighbour and the gardens are even more varied, all set within an outwardly uniform pattern.

Avec beaucoup d'amour et de patience, chaque propriétaire recrée son éden miniature. Toutes les maisonnettes sont dissemblables et la disparité des jardinets ponctue d'individualisme la géométrie qui à première vue semble monotone.

Jeder Laubenbesitzer schaffte mit Liebe und Sorgfalt sein eigenes Eden in Miniaturformat. Keine Laube ist der anderen gleich, und die Art der Bodenbearbeitung ist noch vielfaltiger — trotz eintönigen, äußeren Rahmens.

Jokainen mökinomistaja on täällä rakkaudella ja huolenpidolla luonut oman miniatyyrikokoisen Edeninsä. Ei yksikään tupa ole toisen kaltainen, ja tapa viljellä maata on vielä moninaisempi ulkopuolisesti yksitoikkoisen kaavan keskelllä.

Varje stugägare har här med kärlek och omsorg skapat sitt eget Eden i miniatyrformat. Ingen stuga är någon annan lik, och sättet att bruka jorden är ännu mer mångskiftande - mitt i ett till det yttre enformigt mönster.

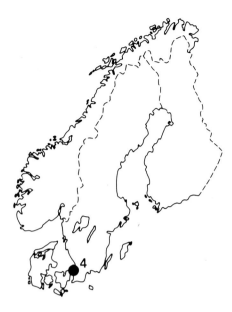

Klippans Läderfabrik

Klippan, Skåne
Grundad 1906
7.6.1982, 300 m

Many of Sweden's smaller industrial centres have traditions that span centuries. This is where Sweden's first paper mill was set up in 1537, so this tannery is something of a latecomer. The clay pit belongs to the local brickworks.

Maintes localités industrielles suédoises ont un riche passé artisanal. C'est ici à Klippan que la première papeterie suédoise fut implantée en 1537, la Tannerie de Klippan bien que centenaire étant donc assez "récente" La carrière d'argile fournit la matière première à la briqueterie de l'endroit.

Viele kleine schwedische Industrieorte haben alte Industrietraditionen. Hier wurde die erste Papierfabrik Schwedens 1537 angelegt, und deshalb kann man sagen, daß die Lederfabrik auf dem Bild verhältnismäßig neu am Ort ist. Die Tongrube gehört zur Ziegelei des Ortes.

Useilla pienillä ruotsalaisilla teollisuusseuduilla on vanhoja teollisia perinteitä. Täällä perustettiin Ruotsin ensimmäinen paperitehdas 1537, ja sen vuoksi voidaan sanoa kuvan esittämän nahkatehtaan olevan paikkakunnalla suhteellisen uuden. Savenottopaikka kuuluu paikkakunnan tiilitehtaalle.

Många små svenska industriorter har gamla industriella traditioner. Här anlades Sveriges första pappersbruk 1537, och därför kan läderfabriken på bilden sägas vara relativt ny på platsen. Lertäkten tillhör ortens tegelbruk.

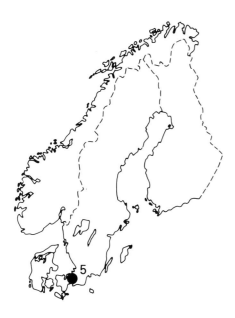

Hakens fyr, Ven

Öresund, Skåne
23.6.1983, 250 m

Above the shoreline bluffs lies a peaceful cultivated landscape. The groves at top left hide the ruins of two famous l6th Century observatories, Uraniborg and Stjärneborg, used by Tycho Brahe.

Au-dessus de la falaise s'etend le calme paysage agricole. En haut, à g., le bosquet dissimule les ruines de deux observatoires que Tycho Brahe fit construire au 16e siècle (Uraniborg et Stjärneborg).

Oberhalb der Uferböschungen breitet sich ein ruhevolles Bauernland aus. Die Haine oben links verbergen die Ruinen der berümten Observatorien von Tycho Brahe aus dem 16. Jahrhundert (Uraniborg und Stjärneborg).

Rantatörmien yläpuolella levittäytyy rauhallinen viljelysmaisema. Ylimpänä vasemmalla näkyvät metsiköt peittävät Tyko Brahen kuuluisat tähtitornit 1500-luvulta (Uraniborgin ja Stjärneborgin).

Ovanför strandbranterna — Vens blommande "backafall" — utbreder sig ett rofyllt odlingslandskap. Dungarna överst t.v. döljer ruinerna av Tycho Brahes berömda observatorier från 1500-talet (Uraniborg och Stjärneborg).

Helsingborg, färjehamnen

Skåne
20.6.1979, 400 m

The pulse is feverish in the traffic artery joining Sweden and Denmark. The ferries leave every 5—15 minutes, day and night. The trip takes no more than 25 minutes, so there are up to two hundred departures in each direction every 24-hour period.

Le trafic maritime est très intense entre la Suède et le Danemark. Les départs se succèdent à un intervalle de 5—15 minutes de jour comme de nuit. La traversée prenant 25 minutes seulement, le nombre de voyages s'élève à deux cents dans chaque direction.

Der Pulsschlag des Verkehrs zwischen Schweden und Dänemark ist hoch. Die Fährschiffe fahren mit 5 bis 15 Minuten Zwischenraum Tag und Nacht über den Öresund. Die Überfahrt dauert nur 25 Minuten, und sie schaffen daher bis zu zweihundert Fahrten in beiden Richtungen.

Ruotsin ja Tanskan välisen liikennevirran pulssi on nopea. Lautat kiitävät salmen yli 5—15 minuutin väliajoin ympäri vuorokauden. Matka kestää vain 25 minuuttia, ja lautat ehtivätkin tästä syystä pari sataa kulkuvuoroa kumpaankin suuntaan.

Pulsen är snabb i trafikflödet mellan Sverige och Danmark. Färjorna pilar över sundet med 5-15 minuters mellanrum, dygnet runt. Turen tar bara 25 minuter, och de hinner därför med upp till tvåhundra turer i vardera riktningen.

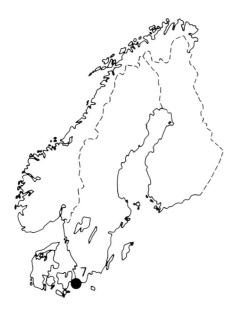

Falsterbo

Skanörhalvön, Skåne
25.7.1983, 500 m

The ancient Hanseatic town of Falsterbo is known today for its fine beach and the golf links at the tip of the peninsula. Migratory birds pass overhead every spring and autumn, and the lighthouse gives warning of shifting sand banks offshore.

Datant de la Hanse, Falsterbo est une petite ville réputée pour ses belles plages et son terrain de golf (18 trous) à l'avantplan. Les oiseaux migrateurs font escale sur la presqu'île à la satisfaction des ornithologues. Le phare est un avertissement contre les sables mouvants.

Die Hansestadt Falsterbo ist heute wegen ihrer schönen Strandbäder und einem Golfplatz mit 18 Löchern ganz außen auf der Landzunge bekannt, dazu durch die Zugvögel im Frühling und Herbst sowie durch das Leuchtfeuer, das vor den wandernden Sandbänken vor der Halbinsel warnt.

Falsterbon Hansa-kaupunki on nykyään tunnettu ihanista rantakylvyistään ja 18-reikäisestä golfkentästään niemen kärjesssä, ja tämän lisäksi muuttolintu-parvistaan keväisin ja syksyisin sekä majakastaan joka varoittaa vaeltavista hiekkasärkistä niemen ulkopuolella.

Hansastaden Falsterbo är i dag känd för sköna strandbad och för 18-håls golfbanan ytterst på udden, och därtill för flyttfågelsträcken vår och höst och för fyren som varnar för de vandrande sandbankarna utanför halvön.

Lund

Skåne
11.5.1979, 400 m

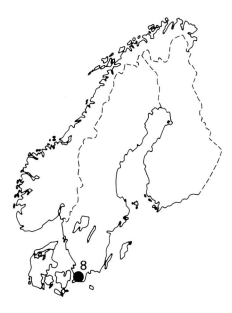

In 1103, Lund became the seat of the primate of all Scandinavia, and the cathedral was started around that time. Only a few other medieval buildings remain today, but the street layout still reveals the ancient town plan surrounded by fortifications.

En 1103, Lund devint le siège archiépiscopal pour l'ensemble des pays nordiques. La cathédrale date de cette époque. Des maisons médiévales, il n'en reste que quelques-unes, mais le tracé des rues dévoile l'emplacement de la ville dans l'enceinte des collines fortifiées.

1103 wurde Lund zum Sitz des Erzbischofs für ganz Nord-Europa, und man begann zu dieser Zeit, die Domkirche zu bauen. Nur wenige andere Häuser aus dem Mittelalter wurden bewahrt, aber das Straßennetz zeigt noch heute, wo die Stadt innerhalb der Festungswälle lag.

Lundista tuli koko Pohjoismaiden arkkipiispanistuin vuonna 1103, ja tuomiokirkon rakennustyöt pantiin alulle näihin aikoihin. Ainoastaan muutamia muita taloja on säilynyt keskiajalta, mutta katuverkosto paljastaa vielä tänäkin päivänä missä kaupunki siihen aikaan sijaitsi linnoitusvalliensa sisäpuolella.

År 1103 blev Lund ärkebiskopssäte för hela Norden, och domkyrkan började byggas vid den tiden. Blott ett fåtal andra hus från medeltiden har bevarats, men gatunätet avslöjar än i dag var staden då låg innanför sina fästningsvallar.

Östra Torn

Lund, Skåne
11.5.1979, 500 m

The modern, strictly planned development estate east of Lund is in sharp contrast to the jumble of houses in the medieval town centre. Here all sorts of housing typical of our age are spreading out over old farmland.

L'urbanisme moderne de l'agglomération à l'est de Lund contraste avec l'entassement des maisons de la Vieille-Ville. Entre les villas et les maisons accolées, on aperçoit de çi de là des grosses fermes.

Die moderne, planmäßig geordnete Besiedlung östlich von Lund steht in scharfem Kontrast zum Gewimmel von Häusern im mittelalterlichen Stadtkern. Hier sieht man neben den Bauernhöfen die Punkthäuser, Scheibenhäuser, Reihenhäuser, Zeilenhäuser und Villen unserer Zeit.

Moderni, suunnitelmanmukaisesti järjestetty asutus Lundin itäpuolella muodostaa terävän vastakohdan talorykelmille keskiaikaisessa kantakaupungissa. Täällä maalaistalojen ympärillä näkyvät kaikki aikamme talotyypit, pistetalot, rivitalot, ketjutalot ja huvilat.

Den moderna, planmässigt ordnade bebyggelsen öster om Lund står i skarp kontrast mot gyttret av hus i den medeltida stadskärnan. Här syns runt bondgårdarna alla vår tids punkthus, lamellhus, radhus, kedjehus och villor.

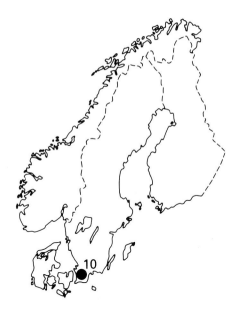

Trolleholms slott

Marieholm, Skåne
Grundat 1538, ombyggt 1889
23.6.1983, 200 m

There are about fifty great castles and manor houses in 'Scania'. Many legends surround Trolleholm, seen here with its towers and turrets mirrored in the old moat. The castle is known for its art treasures and a famous library.

La Scanie compte une cinquantaine de manoirs et châteaux réputés. Celui de Trolleholm est probablement le plus beau et le plus romantique — avec ses tours et ses créneaux se reflétant dans le fossé. Il contient de précieux objets d'art et, notamment, une bibliothèque richement documentée.

Von Schonens etwa 50 berühmten Schlössern und Herrenhöfen ist Trolleholm mit seinen Zinnen und Türmen, die sich im Wassergraben spiegeln, sicher das romantischste. Das Schloß birgt große Kunstschätze, u. a. eine berühmte Bibliothek.

Skoonen noin viidestäkymmenestä kuuluisasta linnasta ja kartanosta Trolleholm on varmasti romanttisin — huippuineen ja tornineen jotka kuvastuvat vallihautaan. Linna sisältää suuria taideaarteita, mm. kuuluisan kirjaston.

Av Skånes omkring femtio berömda slott och herresäten är Trolleholm säkert det mest romantiska — med sina tinnar och torn som speglar sig i vallgraven. Slottet rymmer stora konstskatter, bl. a. ett berömt bibliotek.

Ales stenar

Kåsebergaåsen, Skåne
42 m▲
23.6.1983, 150 m

11

In ancient times, Nordic chieftains were buried in a special kind of grave where the stones, still standing, show the outline of a ship. This one, 67 metres long, is the biggest of them all and dates from the late Iron Age.

Telle l'ossature d'un navire de 67 m de long, ces pierres délimitent probablement un champ mortuaire datant de l'Age du Fer. Plusieurs poètes ont pris pour motif ce cadre sépuleral.

Die 67 m lange schiffsförmige Steinsetzung, die größte Nordeuropas, ist wahrscheinlich ein Grabplatz vom Ende der Eisenzeit. Es inspirierte Anders Österling zu seinem bekannten Gedicht über das Schiff des Seekönigs "mit Steven aus Stein und Wolken als Segeltuch".

67 m pitkä laivahauta, Pohjoismaiden suurin, on luultavasti rautakauden lopulta peräisin oleva hautauspaikka. Se on inspiroinut Anders Österlingin kirjoittamaan tunnetun runonsa merikuninkaan laivasta.

Den 67 m långa skeppssättningen, Nordens största, är troligen en gravplats från slutet av järnåldern. Den har inspirerat Anders Österling till hans kända dikt om sjökungens skepp "med sten till stäv och moln till segelväv".

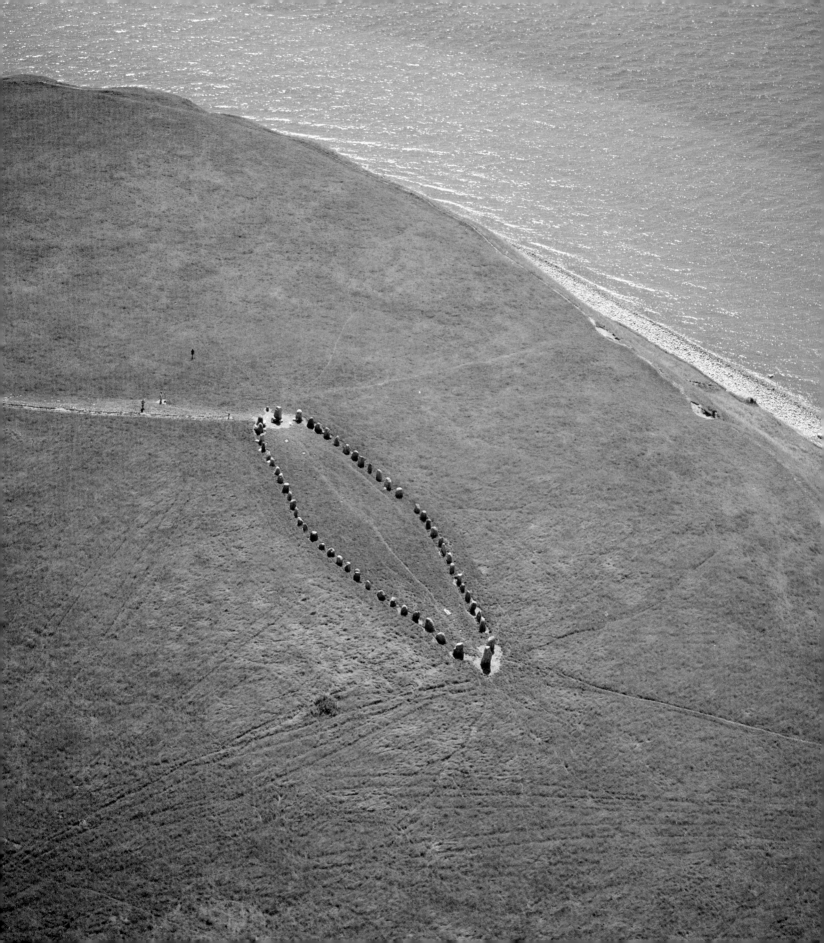

Glimmingehus

Österlen, Skåne
Byggt 1499−1506
23.6.1983, 200 m

This medieval knight's castle, unique for Scandinavia, has been uninhabited since the 17th Century. It was designed by Adam von Düren, who also worked on Cologne Cathedral and restored Lund cathedral (Fig. 8).

Seul en son genre dans les pays nordiques, ce château féodal, bien que conservé, n'est plus habité depuis le 17e siècle Il est l'œuvre d'Adam van Düren, architecte ayant contribué à l'érection de la cathédrale de Cologne et la restauration de la cathédrale de Lund (photo 8).

Diese in Nordeuropa einmalige, ganz erhaltene Ritterburg steht seit dem siebzehnten Jahrhundert unbewohnt. Baumeister war Adam van Düren, der auch beim Bau des Kölner Doms mitwirkte und den Dom in Lund (Bild 8) restaurierte.

Tämä Pohjoismaissa ainutlaatuinen, täysin säilynyt ritarilinna on seisonut asumattomana 1600-luvulta saakka. Rakennusmestari oli Adam van Düren, joka myös oli osallistunut Kölnin tuomiokirkon rakentamiseen, sekä restauroinut Lundin tuomiokirkon (kuva 8).

Den i Norden unika, helt bevarade riddarborgen har stått obebodd sedan 1600-talet. Byggmästare var Adam van Düren, som även medverkat vid byggandet av Kölnerdomen, samt restaurerat domen i Lund (bild 8).

Vik

Österlen, Skåne
7.6.1983, 300 m

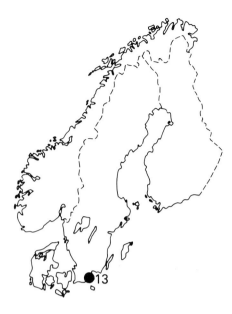

Österlen is a vast orchard. Behind the tall hedgerows, which afford protection from the sea winds, the apple trees start to blossom as soon as the spring sun warms the fertile soils of Skåne.

Österlen, un petit coin de paradis terrestre. Les grandes haies coupent le vent du large et cachent les pommiers en fleur que caresse le soleil printanier.

– Eine Landschaft wie ein Ziergarten. Hinter den hohen Hecken, die vor den Meereswinden schützen, öffnen Apfelbäume ihre Blüten, wenn die Sommersonne die fruchtbare Humuserde Schonens wärmt.

Österlen on maakunta joka on kuin huvitarha. Korkeiden pensasaitojen takana, jotka antavat suojan mereltä puhaltavilta tuulilta, puhkeavat nyt omenapuut kukkimaan kevätauringon lämmittäessä Skoonen hedelmällistä multaa.

Österlen – "Änglamark" – är landskapet som är en lustgård. Bakom de höga häckarna, som ger lä för vindarna från havet, slår äppelträden ut i blom nu när vårsolen värmer Skånes bördiga mylla.

Åhus

Skåne
8.7.1983, 300 m

Åhus has managed to retain the quiet life and restrained building style of a traditional Swedish small town. Centuries ago this was an important port. Today it is best known for its eel fishing and smokehouses.

Åhus a, malgré le temps, conservé son caractère idyllique de petite ville bourgeoise. Réputé au Moyen-Age déjà, le port est connu actuellement pour la pêche à l'anguille et ses fumeries de poissons.

Åhus ist es geglückt, das "gute Leben" und den maßvollen Baustil der schwedischen Kleinstadt zu bewahren. Der im Mittelalter wichtige Hafen ist heute hauptsächlich durch Aalfang und seine Räuchereien bekannt.

Åhus on onnistunut säilyttämään ruotsalaisen pikkukaupungin "hyvän elämän" ja kohtuullisen rakennustyylin. Keskiajalla tärkeä satama on nykyään eniten tunnettu ankeriaankalastuksesta ja savustamoistaan.

Åhus har lyckats bevara den svenska småstadens "goda liv" och måttfulla byggnadsstil. Den på medeltiden viktiga hamnen är i dag mest känd för ålafisket och för sina rökerier.

Hammenhög

Österlen, Skåne
7.6.1983, 250 m

The enclosed, white-washed farm, typical of Skåne, remains the same — but no cattle graze the land today, and where the lines of willows used to be, the wind sweeps unhindered across the endless rape fields.

Les grosses fermes entourées de murs badigeonnés à la chaux au coeur des grandes cultures ne changent guère. Les grandes prairies où paîssaient les vaches naguère sont la proie du colza que balaie le vent.

Der umgebaute, weißgeputzte Bauernhof in Schonen bleibt sich gleich — aber kein Vieh weidet auf dem bestellten Boden um den Hof herum, und über die endlosen dränierten Rapsfelder fegt der Wind, ohne wie früher durch Weidenalleen aufgehalten zu werden.

Umpeen rakennettu, valkoiseksi rapattu skoonelainen maalaistalo on kaltaisensa — mutta karjaa ei näy syömässä laitumella, ja yli loputtomien, salaojitettujen keltaisten rapsipeltojen tuuli pyyhkii eteenpäin piilipuuvallien estämättä sitä kuten ennen aikaan.

Den kringbyggda, vitrappade skånska bondgården är sig lik — men ingen boskap betar på tunet, och över de ändlösa, täckdikade gula rapsfälten sveper vinden fram utan att som förr hejdas av pilevallar.

Ekholmen

Björkholmen, Karlskrona, Blekinge
15.5.1982, 300 m

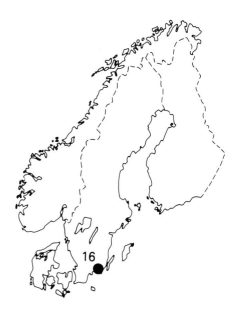

16

Naval officers and men lived apart both at sea and ashore. Björkholmen was the sailors' and fishermen's quarter. Now only the empty powder-magazine in the middle of the harbour indicates that Karlskrona was a major naval base.

Les marins de la force navale vivaient á l'écart sur la terre pour marquer la distance militaire. Björkholmen était le quartier des marins et des pêcheurs. Le Magasin aux poudres, au centre du port, est le dernier vestige témoignant que Karlskrona était la base navale la plus importante de la Suède.

Die Seeleute der Marine hausten an Land wie auch an Bord der Kriegsschiffe gerne für sich allein. Ihnen und den Fischern gehörte der Stadtteil Björkholmen. Nur der Pulverturm inmitten des Hafens zeugt davon, daß Karlskrona der Haupthafen der Flotte war.

Sotalaivoissa majoitetaan miehistö ja päällystö erikseen - ja niin miehistön majat ja talot rakennettiin omaan kaupunginosaan Björkholmen. Ainoastaan satamaluodon entisestä Ruutitornista näkyy tämänpäivän kuvasta että kaupunki on ollut Ruotsin laivaston päätukikohta.

Flottans folk bodde på land liksom ombord på örlogsskeppen i rangordning var och en på sin kant. Björkholmen var sjömännens stadsdel - och fiskarnas. Här vittnar nu bara det tomma kruthuset mitt i hamnen om att Karlskrona var flottans viktigaste örlogsbas.

Sporrakulla

Göinge, Skåne
8.7.1982, 150 m

Time seems to have stopped on this 17th century farm, so typical of northern Skåne. You almost expect an old Viking to come round the corner of the barn.

Sporrakulla est une fermette du 17e siècle. A l'éposue des conquêtes spatiales, le temps s'est arrêté donnant l'impression su'un Viking va déboucher à l'orée du bois.

Auf diesem genuinen Göinge-Hof aus dem 17. Jahrhundert scheint die Zeit stehengeblieben zu sein. Man erwartet sich beinahe, einen Wikinger über das Gras zwischen den grauen Häusern kommen zu sehen.

Tässä aidossa Göingemaatalossa 1600-luvulta näyttää aika pysähtyneen; odottaa miltei saavansa nähdä viikingin tulevan kävellen piha-aukean yli harmaiden talojen välistä.

På denna genuina Göingegård från snapphanetiden tycks tiden ha stannat; man väntar sig nästan att få se Röde Orm komma gående över tunet mellan de grå husen.

Fårarevet

Morup, Halland
18.6.1979, 200 m

The shapes and positions of the sand banks along the low, marshy Halland coastline are continually changing under the influence of waves and currents. The cattle wade across the estuary without hesitation — perhaps the grass looks greener on the other side.

Dans le département du Halland, les vagues et les courants sousmarins transforment à leur guise la formation des bancs de sable. Dans ce paysage marécageux à la limite de la crique, les vaches pataugent à la rencontre d'une herbe apétissante.

In der seichten Marschenküste ändern sich die Formen und Lage der Sandbänke ständig durch Ströme und Wellen. Die Kühe wandern über die Mündung zur Bucht — vielleicht weil das Gras auf der anderen Seite grüner erscheint.

Hallannin matalalla marskimaarannikolla virrat ja aallot muuttavat alituisesti hiekkasärkkien muotoja ja paikkoja. Lehmät kahlaavat lahdensuun yli — ehkäpä siksi että ruoho näyttää olevan vihreämpää toisella puolella.

Vid Hallands långgrunda marsklandskust ändras sandbankarnas former och lägen ständigt av strömmar och vågor. Korna vadar över mynningen till viken — kanske för att gräset tycks vara grönare på andra sidan.

Östra stranden

Halmstad, Halland
16.5.1980, 200 m

The pattern of roads and tracks shows how the dunes are worn down by holidaymakers finding their way to the sunbathing pits in the dunes and down to the water's edge for a swim.

Toutes les routes et tous les chemins aboutissent dans les dunes. A l'avant-plan se tassent les maisons de campagne en bordure de longues plages sablonneuses. L'eau est peu profonde et la marée n'existe pas.

Das Muster von Wegen und Stiegen zeigt, wie die Stranddünen abgenützt werden, wenn die Urlauber sich in die Sonnengruben der Dünen und zum erfrischenden Bad an den langen Sandstränden der Laholm-Bucht begeben.

Teiden ja polkujen kuvio todistaa siitä miten rannan dyynit kuluvat loman-viettäjien hakeutuessa rantahiekan aurinkokuoppiin ja vilvoittaviin aaltoihin pitkin Laholmin lahden pitkiä hiekkarantoja.

Mönstret av vägar och stigar vittnar om hur stranddynerna slits ned när semesterfirare söker sig ut till dynernas solgropar och till svalkande dopp längs Laholmsbuktens långa sandstränder.

Norrhult

Vena, Småland
7.6.1979, 250 m

Like the fertile fields and neat farms, the cairns and drystone walls bear witness to hard pioneering work in the past — a fitting symbol of Småland, and indeed of all of Sweden.

De génération en génération, les cultivateurs se sont échinés pour valoriser leurs terres. Ces murets sont constitués de blocs de pierre extirpés un à un des champs de culture. Très fréquents en Smôland, ces amas de pierre retracent une tradition de la Suède toute entière.

Hügel von gesammelten Steinen und Steinmauern, wie auch die fruchtbaren Felder und sorgfältig gebauten Höfe zeugen von der Mühe und strebsammen Arbeit ihrer Erbauer in vergangenen Zeiten — ein Sinnbild von Småland, aber gleichviel auch von ganz Schweden.

Kiviröykkiöt ja kiviaidat todistavat samoin kuin viljavat pellot ja hyvin rakennetut maalaistalot viljelijän vaivoista ja uutterasta työstä menneinä aikoina — Smoolannin, mutta yhtä suuressa määrin koko Ruotsin vertauskuva.

Stenrösen och stengärden vittnar liksom bördiga fält och välbyggda gårdar om odlarmöda och strävsamt arbete under gångna tider — sinnebilden av Småland, men i lika hög grad av hela Sverige.

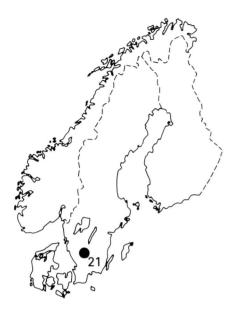

High Chaparral

Kulltorp, Småland
8.8.1983, 250 m

A fantastic combination of junk yard and amusement park, of a traditional Swedish fair and an American "dude ranch", High Chaparral is known throughout Sweden – a result of enterprising spirit and imaginative marketing.

A la limite de l'utile et l'agréable se rejoignent l'Ancien et le Nouveau, le commerce de ferrailles et le parc d'attractions. S'inspirant du Far-West, High Chaparral jouit d'une réputation nationale.

Hier vereinen sich Nutzen und Vergnügen in einer phantastischen Kombination von Schrotthandel, Jahrmarkt und Wildwest. Unternehmertum und kluges Marketing machten High Chaparral in Schweden weit bekannt.

Uutuudet ja huvit yhdistyvät täällä mielikuvitukselliseksi romukaupan ja tivolin, ruotsalaisen markkinatunnelman ja Villin Lännen yhdistelmäksi. Yritteliäisyys ja innoittunut markkinainpito ovat tehneet High Chaparralin laajalti tunnetuksi Ruotsissa.

Här förenas nytta och nöje i en fantastisk kombination av skrothandel och tivoli, av mörkaste Småland och Vilda Västern. Företagsamhet och inspirerad marknadsföring har gjort High Chaparral vida känt i Sverige.

Scandinavian Raceway

Anderstorp, Småland
19.7.1983, 600 m

This four-kilometre race track in the middle of the forest is used as a landing strip by local businesses when no racing event is taking place. When this picture was taken, it was used as a camping ground for participants in an international orienteering meeting.

Long de quatre km, ce circuit automobile situé au fond de la forêt remplit également la fonction d'un aéroport au service des petites industries de la région. Cette photo fut prise lors des compétitions internationales d'orientation et représente le terrain de camping occasionnel.

Die vier km lange Motorrennbahn mitten im Wald dient wochentags als Flugplatz für in der Nähe liegende mittelständige Industrien. Als die Aufnahme gemacht wurde, diente er als Campingplatz für internationale Orientierungswettkämpfe.

Neljä kilometriä pitkä moottorikilpailurata metsän keskellä toimii arkisin lähellä sijaitsevien pienteollisuuksien lentokenttänä. Kuvaa otettaessa sitä käytettiin kansainvälisten suunnistuskilpailujen leirintäalueena.

Den fyra km långa motortävlingsbanan mitt i skogen fungerar till vardags som flygfält för närbelägna småindustrier. Då bilden togs användes banan som campingplats för internationella orienteringstävlingar.

Riddersberg

Rogberga, Småland
8.8.1983, 150 m

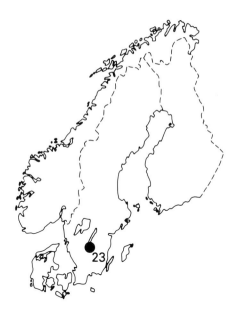

In a completely rural setting, the artist Calle Örnemark has created the biggest sculptures in the world. The one in the front of the picture represents the mutiny on the Bounty, and the one in the centre is "The Indian Rope Trick": a tower with a climbing fakir.

A l'écart de la civilisation, Calle Örnermark a créé les plus grandes sculptures qui soient au monde. La photo illustre la "Mutinerie sur le Bounty" à l'avant-plan et, au centre, la "Corde hindoue" – une perche où grimpe un fakir.

Mitten auf dem Land erzeugt der Künstler Calle Örnemark die größten Skulpturen der Welt. Auf dem Bild sieht man die "Meuterei auf der Bounty" im Vordergrund und "Der indische Seiltrick", ein Turm mit einem kletternden Fakir.

Taiteilija Calle Örnemark on luonut keskelle maaseutua maailman suurimmat veistokset. Kuvassa näemme etualalla veistoksen "Kapina Bounty'lla" ja tornin "Intialainen köysitaitotemppu" kiipeävine fakiireineen kuvan keskellä.

Mitt ute på landsbygden har konstnären Calle Örnemark skapat världens största skulpturer. På bilden syns "Myteriet på Bounty" i förgrunden och "Det indiska reptricket", ett torn med en klättrande fakir, mitt i bilden.

Rismossen

Komosse, Småland
5 000 ha, bildyta ca 500 × 500 m
16.9.1979, 750 m

Strings of moss and brushwood interspersed with "bottomless" black lakes
— Småland has miles and miles of bogs, which have been called Europe's
"closest" wilderness. Wetlands like these cover 14 per cent of the country's
area.

Entre le lichen, les myrtilles et les airelles se dissimulent les tourbières. En
Smôland, les marécages s'étirent sur plusieurs lieues de "pays sauvage".
Les marais et les tourbières couvrent 14 % de la superficie de la Suède.

Zwischen herbstgelben Bändern von Moosen und Reisig lauern "bodenlose"
schwarze Tümpel im Hochmoor. Die meilenweiten Moore Smålands — eine
leicht erreichbare "Wildmark" — repräsentiert hier ein sehr gewöhnliches
schwedische Landschaft. Kleinere Moore und Brüche bedecken 14 % der
Oberfläche des Landes.

Syyskeltaisten sammal- ja risukaistaleiden välissä väijyvät suon "pohjatto-
man" mustat syvänteet. Smoolannin peninkulmien laajuiset suot — Euroo-
pan 'läheisin' erämaa — edustaa täällä hyvin tavallista ruotsalaista kosteaa
maisemamuotoa. Pienet suot ja vesiperäiset maat peittävät 14 % maan pinta-
alasta.

Mellan höstgula strängar av mossor och ris lurar myrens "bottenlöst" svarta
gölar. Smålands milsvida myrar — Europas 'närmaste' vildmark — represen-
terar här ett mycket vanligt svenskt våtmarksmönster. Mindre myrar och
sankmarker täcker 14 % av landets yta.

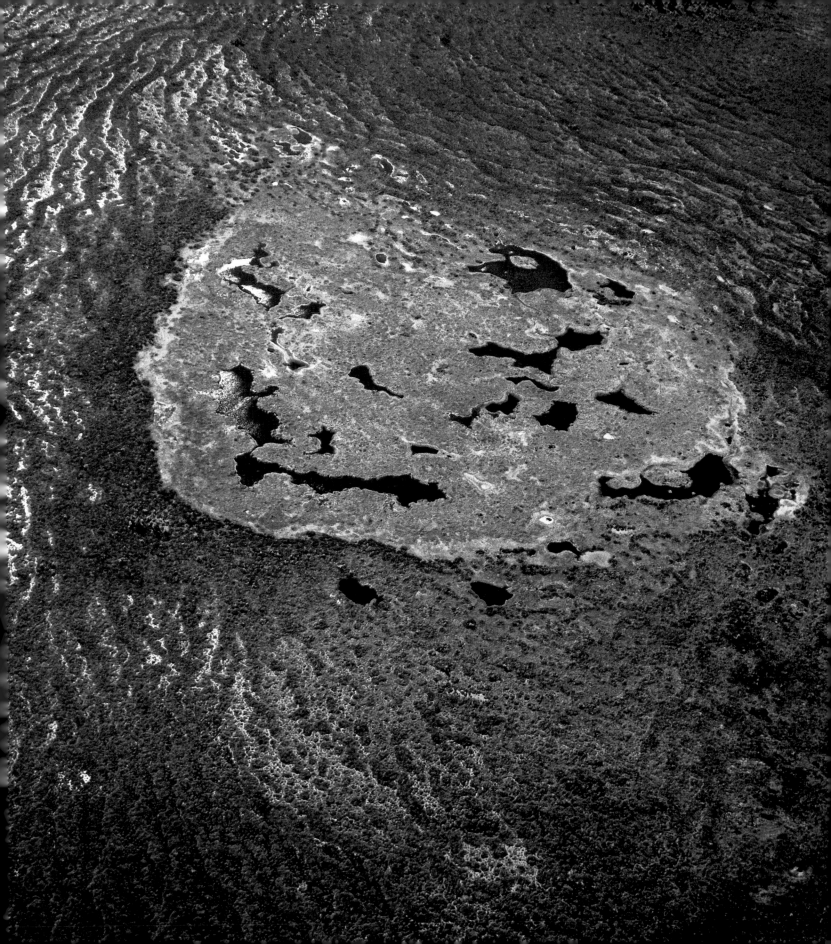

Storån

Rävlanda, Västergötland
21.10.1983, 250 m

Late autumn. Many trees have already shed their leaves. The autumn rains have filled up the gently meandering Storån to the brim, and thus the farmland in the narrow valley has become waterlogged.

L'automne touche à sa fin et les arbres sont dépourvus de leurs feuilles multicolores. Les pluies automnales ont fait gonfler les flots de la Storån. La rivière sinueuse, en débordant, submerge les champs encerclés par les méandres.

Es ist Spätherbst, und viele Bäume haben bereits alle ihre gelben Blätter verloren. Der Herbstregen hat die weiten Mäanderschleifen des Storåns bis an die Ufer gefüllt und die Äcker im engen Flußtal sumpfig gemacht.

On myöhäinen syksy ja monet puut ovat jo pudottaneet kaikki keltaiset lehtensä. Syyssade on täyttänyt Storånin laajat meanderikiemurat äyräitään myöten ja tehnyt pellot vesiperäisiksi ahtaassa jokilaaksossa.

Det är sent på hösten, och många träd har redan fällt alla sina gula löv. Höstregnen har fyllt Storåns vida meanderslingor till bräddarna och gjort åkrarna vattensjuka i den trånga ådalen.

Volvo, Torslanda

Storgöteborg, Bohuslän
9.7.1983, 300 m

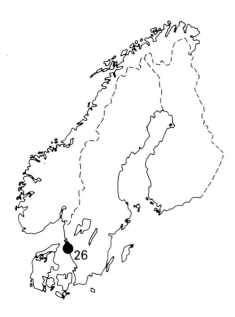

This modern assembly plant – since 1964 the largest industrial building in Scandinavia – turns out a considerable part of Sweden's exports.

L'usine Volvo – le plus grand complexe industriel des pays nordiques depuis 1964 – est un solide pilier des exportations suédoises. Les explosifs et les bulldozers ont nivelé le terrain d'assise pour supprimer tous les obstacles à la rapidité des transports.

Die moderne Montagefabrik – seit 1964 das größte Industriegebäude Nordeuropas – hat einen bedeutenden Anteil am Export Schwedens.

Moderni kokoonpanotehdas – Pohjoismaiden suurin teollisuusrakennus vuodelta 1964 – vastaa huomattavasta osasta Ruotsin vientiä. Täällä kiitävät kaikki kuljetukset ilman vuori- ja mäkiesteitä tasaiseksi räjäytetyllä tehdasalueella.

Den moderna monteringsfabriken – Nordens största industribyggnad från 1964 – svarar för en betydande del av Sveriges export. Här löper alla transporter utan hinder av berg och backar på det plansprängda fabriksområdet.

Kungsportsavenyn

Göteborg, Västergötland
11.6.1983, 300 m

Gothenburg is not only a trading and shipping centre. The avenue in the centre of the picture is a cultural artery running from the Götaplatsen square with the Art Museum, Concert Hall, City Theatre and Library to the Stora Teatern, the city opera house beside the old moat that used to be a part of the city's fortifications.

Centre commercial et maritime, Gothembourg est également une ville touristique. L'avenue est une artère culturelle reliant la place Göta et les Remparts où se côtoient le Musée des Beaux-Arts, le Palais des Concerts, le Théâtre Municipal, la Bibliothèque et le Grand-Théâtre.

Göteborg ist nicht nur ein Zentrum für Handel und Seefahrt. Die Avenue in der Mitte des Bildes ist flankiert vom Konzertsaal, Stadttheater und der Städtischen Bibliothek und geht bis hinunter zum großen Theater am Wassergraben, der alten Verteidigungsanlage der Stadt.

Göteborg ei ole yksinomaan kaupan ja merenkulun keskus. Kuvan keskellä näkyvä puistokatu on kulttuurin valtasuoni, joka saa alkunsa Göta-aukeamalta Taidemuseoineen ja joka vie Konserttitalon, Kaupunginteatterin ja Kaupunginkirjaston reunustamana alas Vallihaudan, kaupungin vanhan puolustuslaitteen, vieressä sijaitsevan Suuren Teatterin luokse.

Göteborg är inte bara ett centrum för handel och sjöfart. Avenyn i bildens mitt är en kulturell pulsåder från Götaplatsen med Konstmuseet, flankerat av Konserthuset, Stadsteatern och Stadsbiblioteket ned till Stora Teatern vid Vallgraven, stadens gamla försvarsanläggning.

Ullevi

Göteborg, Västergötland
11.6.1983, 300 m

A capacity of 52,000 is more than enough for a world speed skating event and even for the local football favourites — but when David Bowie presents his rock circus the crowds fill up the entire playing area.

Un stade pouvant recevoir 52 000 spectateurs, juste ce qu'il faut pour les championats du monde du patinage ou quand l'équipe de football joue sur son terrain — mais trop petit lorsque David Bowie est en tournée.

Die 52 000 Plätze der Zuschauertribünen reichen gut für die Weltmeisterschaften im Eisschnellauf und auch, wenn einer der Göteborger Fußballvereine zu Hause spielt. Aber wenn eine Rockgala mit David Bowie vom Stapel läuft, wird es auch hier eng.

Katsojaparvekkeiden 52 000 paikkaa riittävät hyvin silloin kun on kysymyksessä luistelun MM-kilpailut ja myöskin silloin kun siellä pelataan jalkapalloa kotikentällä — mutta kun on David Bowien rokkigaala, silloin on ahdasta vieläpä kentälläkin.

Åskådarläktarnas 52 000 platser räcker väl till när det är VM i skridsko och även när Änglarna spelar fotboll på hemmaplan — men när det är rockgala med David Bowie, då blir det trångt också på plan.

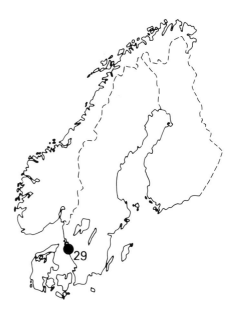

Liseberg

Göteborg, Västergötland
11.6.1983, 300 m

Liseberg has been called Sweden's finest amusement park. Its gardens, restaurants, dance halls, outdoor stages, theatres and other traditional fun-fair amusements attract about 1.8 million visitors a year.

En Suède, Liseberg est le parc d'attractions par excellence. Les jardins fleuris, les terrasses, les pistes de danse, les scènes de plein-air et tout ce qui s'impose dans un véritable champ de foire attirent près de 1,8 million de visiteurs chaque année.

Liseberg wird als der beste Vergnügungspark Schwedens bezeichnet. Seine blühenden Gärten, Restaurants, Tanzböden, Freiluft-Szenen, Theater und alles andere, was zu einem richtigen Schaustellerplatz gehört, lockt jährlich ca. 1,8 Mio. Besucher an.

Lisebergiä on kutsuttu Ruotsin suurimmaksi huvipuistoksi. Sen kukkivat puutarhat, tarjoilupaikat, tanssilavat, ulkoilmanäyttämöt, teatterit ja kaikki muu mikä kuuluu oikeaan tivoliin, houkuttelee vuosittain noin 1,8 miljoonaa kävijää.

Liseberg har kallats Sveriges främsta nöjespark. Dess blommande trädgårdar, serveringar, dansbanor, friluftsscener, teatrar och allt annat som hör ett riktigt tivoli till, lockar årligen ca 1,8 miljoner besökare.

Klädesholmen

Marstrandsfjorden, Bohuslän
9.7.1983, 250 m

Every fisherman needs a protected berth, a waterside shed for his equipment
— and housing as close to the water as possible for everybody in the crew. So
wherever there's a good harbour, the houses jostle each other, in a typical
Bohuslän fishing village.

Pour les pêcheurs professionnels, l'essentiel se résout à peu de chose : un
quai bien abrité, des hangars pour les filets — et un logement à proximite du
port. Les maisons s'entassent autour des bonnes criques comme en té-
moigne ce port du département de Bohuslän.

Eine Fischerbesatzung braucht einen geschützten Anlegeplatz für ihr Boot,
ein Magazin am Wasser für die Fischergeräte — und eine Wohnung, so nahe
am Bootplatz wie möglich, für alle in der Besatzung. In günstigen Hafenbuch-
ten stehen deshalb die Häuser dichtgedrängt in den Fischerdörfern von
Bohuslän.

Kalastuskunta tarvitsee suojatun laituripaikan veneelle, ranta-aitan kalastus-
välineille — ja asunnon mahdollisimman lähellä laituria kaikille kalastuskun-
taan kuuluville. Hyvissä satamalahdissa sijaitsevat sen vuoksi talot Bohus-
länin kalastajayhdyskunnissa tiheässä.

Ett fiskelag behöver skyddad bryggplats för båten, sjöbod för fiskeredskapen
— och bostad så nära bryggan som möjligt för alla i laget. Vid goda hamnvi-
kar står därför husen tätt i Bohusläns fiskelägen.

66

Tjörnbroarna

Almösundet, Bohuslän
24.7.1983, 500 m

The fragmented islands of the West Coast are now linked by a number of high bridges which allow unimpeded access to shipping.

Les ponts du Tjörn enjambent les accidents topographiques et raccourcissent les distances. Du sommet, l'automobiliste profite d'une vue panoramique, les navires manoeuvrant en toute sécurité dans le détroit d'Almö.

Die zerklüftete Landschaft, das Festland und die Inseln werden durch Wege und Brücken zu neuen Einheiten verbunden. Die Brücken spannen sich hoch über die Sunde und um nicht von Schiffen angefahren zu werden, wie dies bei der alten Tjörn-Brücke geschah.

Rikkinäinen maisema, mannermaa ja saaret sidotaan yhteen uusiksi yksiköiksi teiden ja siltojen avulla, jotka jännitetään korkealle salmien yli jottei se estäisi merenkulkua — ja vältettäisiin päälleajo-onnettomuuksia.

Det sönderbrutna landskapet, fastlandet och öarna knyts samman till nya enheter genom vägar och broar, som spänns högt över sunden för att inte hindra sjöfarten — och för att undvika påseglingsolyckor (som förstörde den förra Tjörnbron).

Mollösund

Orust, Bohuslän
20.7.1983, 1 000 m

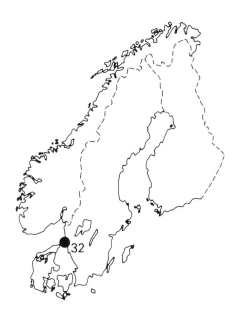

The open sea is a constant attraction, and the tortuous waterways of the archipelago invite exploration by the boat owner. In the holiday season narrow channels can get as crowded as any motorway.

Les criques de l'archipel, le grand large et l'infini empruntent la route du détroit. Les voiliers de plaisance font la queue sur cet itinéraire de la côte de l'Ouest.

Das freie Meer lockt, und die Buchten und Sunde der Schären laden zu Streifzügen per Boot ein. Im Hochsommer herrscht reger Verkehr entlang der großen betonnten Schiffahrtswege, wie hier an der "Europastraße" der Westküste.

Avoin meri houkuttelee, ja saariston lahdet ja salmet kutsuvat retkille omalla kölillä. Keskikesällä tulee ahdasta kapeissa salmissa pitkin suuria viitoitettuja väyliä, kuten täällä Länsirannikon "Eurooppatiellä".

Det fria havet lockar, och skärgårdens vikar och sund inbjuder till strövtåg på egen köl. Under högsommaren blir det trångt i smala sund längs de stora prickade lederna, som här på Västkustens "Europaväg".

Lilla Kornö

Brofjorden, Bohuslän
13.6.1981, 300 m

The land may be totally barren — but if there is a good harbour a fishing community will always find a foothold. The size of the harbour sets the limit for growth of the village where fishing was the sole livelihood.

Une petite crique abritée, proche des eaux de pêche, devenait souvent un endroit de prédilection — même si les îles étaient dénuées de toute végétation. Les installations portuaires ne pouvant s'agrandir, les pêcheurs manquèrent d'avenir.

Wo es schützende Hafenbuchten nahe fischreicher Gewässer gab, baute man Fischerdörfer — auch wenn die Inseln karg und felsig waren. Die Größe des Hafens bestimmte die Grenzen der Wachstumsmöglichkeiten des Ortes, wie hier, wo der Fischfang der einzige Erwerbzweig war.

Sinne missä oli suojattuja satamalahtia kalastusvesien lähellä, rakennettiin kalastusyhdyskuntia — vaikkakin saaret olivat karuja ja vuorisia. Sataman koko asetti rajan paikkakunnan kasvumahdollisuudelle, täällä missä kalastus oli ainoa elinkeino.

Där det fanns skyddade hamnvikar nära fiskevattnen byggdes fiskelägen — även om öarna var karga och bergiga. Hamnens storlek satte gränsen för ortens möjlighet att växa, här där fisket var den enda näringen.

Västergötland

12.6.1979, 150 m

34

Today, the antiquarians also care for wildlife, as around ruins and graves there remain patches where blackthorn, dog-roses, birds, butterflies and hedgehogs are given a chance to survive even though modern farmland has no hedgerows, ditches or meadows.

La sauvegarde du patrimoine national intéresse aussi la flore et le faune. Les oiseaux chanteurs, les papillons et les porcs-épics trouvent un gîte dans cette oasis d'églantiers et de prunelliers dans ce paysage agricole.

Die Pflege von Altertümern schafft auch Oasen für wildes Leben. Schlehen-büsche, Wildrosen, Singvögel, Schmetterlinge und Igel haben hier eine Mög-lichkeit in einer Ackerlandschaft ohne Ackerraine, Gräben und Zäune zu überleben.

Muinaismuistojen suojelu luo myös keitaita villille elämälle. Oratuomet, or-janruusut, laululinnut, perhoset ja siilit saavat mahdollisuuden jäädä eloon maanviljelysseudulla ilman pellonpientareita, ojia ja aitoja.

Fornminnesvården skapar även oaser för det vilda livet. Slånbärsbuskar, nyponrosor, sångfåglar, fjärilar och igelkottar får en chans att överleva i ett jordbrukslandskap utan åkerrenar, diken och gärden.

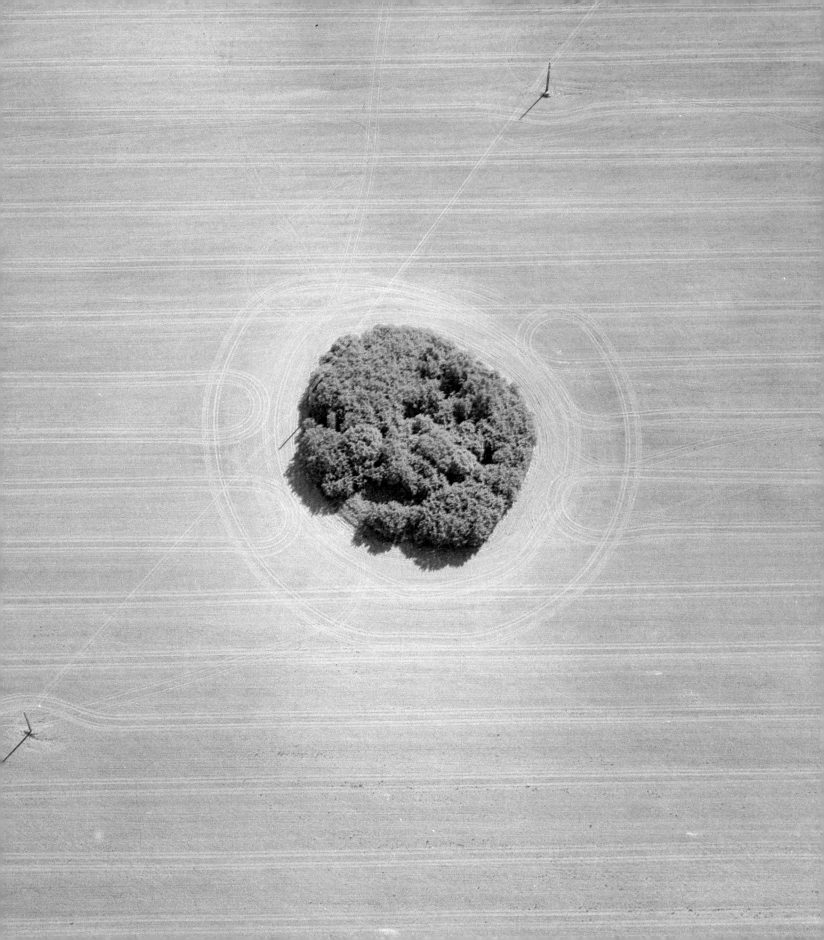

Håverud

Dalslands kanal, Dalsland
23.7.1983, 250 m

Three different traffic systems meet at this point, a problem solved in 1864 by Nils Ericson, brother of John Ericsson, with an imaginative feat of engineering. The 32.5 metre long aqueduct carries ships above the rapids but below the road and railway.

Point de jonction où se rencontrent trois systèmes de transports. L'ingénieur Nils Ericson trouva en 1864 cette élégante solution : un aqueduc de 32,5 m de long, la route surplombant le chemin de fer et le canal.

Drei Transportsysteme treffen sich hier in einem gordischen Verkehrsknoten, den Nils Ericson 1864 mit einem ingenieurstechnischen Schwerthieb löste: das 32,5 m lange Aquaedukt, das den Bootverkehr über die Stromschnellen trägt, unter Eisenbahn und Landstraße.

Kolme kuljetusjärjestelmää kohtaa täällä Gordionin liikennesolmussa, jonka Nils Ericson 1864 ratkaisi insinööriteknisellä miekaniskulla: 32,5 m pitkällä akveduktilla joka kantaa veneliikenteen kosken yli, rautatien ja maantien alla.

Tre transportsystem möts här i en gordisk trafikknut, som Nils Ericson 1864 löste med ett ingenjörstekniskt svärdshugg: den 32,5 m långa akvedukten som bär båttrafiken över forsen, under järnväg och landsväg.

Visingsö

Vättern, Småland
20.6.1979, 350 m

The fertile clay soil of Visingsö island is easily tilled so the entire island has been put under the plough. Visingsö has inverted real estate patterns: waterside lots are cheapest, since they are steadily shrinking under the impact of the waves.

La terre fertile de cette île se prête bien aux machines et aux cultures agricoles. Les parcelles de terrain en bordure du lac coûtent moins cher — parce sue les vagues réduisent constamment leur superficie, d'après les habitants.

Der fruchtbare Lehmboden von Visingsö ist leicht zu bestellen, und aller Boden auf der Insel wird bestellt. Hier sind angeblich die Strandgrundstücke am billigsten, weil die Wellen des Vättersees ständig daran nagen.

Visingsön hedelmällinen savimaa on helposti viljeltävissä ja koko saari on viljelysaluetta. Rantatonttien sanotaan olevan täällä huokeimmat — syystä että Vätternin aallot jatkuvasti pienentävät pinta-alaa.

Visingsös bördiga lerjord är lätt att bruka och all mark på ön odlas. Strandtomterna sägs här vara billigast — därför att Vätterns vågor ständigt minskar arealen.

Vadstena

Vättern, Östergötland
9.6.1980, 300 m

The beautiful renaissance castle of the Vasa kings seems to dominate the town, but Vadstena is and remains the town of Saint Bridget. On the other side of the old town core is the l5th-Century Blåkyrkan church, which is the real centre of the town.

Construit par les descendants du roi Vasa, ce château de style Renaissance constitue le joyau de la région. Vadstena fut et reste encore la ville où naquit Ste Birgitta. A l'arrière-plan, se dessine le monastère, sui date du 15e siècle, et l'église Bleue — au centre de la ville.

Das schöne Renaissance-Schloß der Vasa-Könige dominiert das Stadtbild. Vadstena ist und verbleibt doch die Stadt der Heiligen Birgitta. Auf der anderen Seite des alten Stadtkerns ist das Kloster mit der Blåkyrka aus dem 15. Jahrhundert zu sehen, das wirkliche Zentrum der Stadt.

Vaasa-kuninkaiden kaunis renesanssilinna näyttää hallitsevan kaupungin-kuvaa, mutta Vadstena on ja pysyy pyhän Birgitan kaupunkina. Toisella puolen vanhaa kantakaupunkia näkyy luostari Blåkyrkanin kanssa, joka on peräisin 1400-luvulta — kaupungin todellinen keskusta.

Vasakungarnas vackra renässansslott syns dominera stadsbilden, men Vadstena är och förblir den heliga Birgittas stad. På andra sidan den gamla stadskärnan syns klostret med Blåkyrkan från 1400-talet — stadens verkliga centrum.

Norrköping

Östergötland
7.6.1980, 300 m

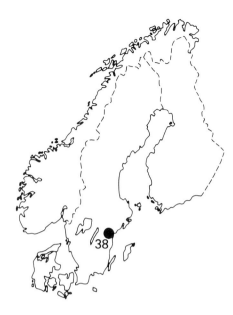

Mill wheels were turning in the Motala Ström river long before the city of Norrköping was founded in 1384, and water power made "Sweden's Manchester" grow into the country's fifth biggest city. In the centre of the picture is the copper dome of Holmens Bruk, which has dominated the city since the 17th Century.

Le torrent de Motala actionnait des aubes de moulin bien avant la fondation de la ville en 1384, qui plus tard devint la capitale de la filature. Au centre de la photo se dégage la tour de cuivre coiffant la papeterie de Holmens Bruk depuis le 17e siècle.

Hier trieb der Motala-Strom Mühlenräder bereits lange bevor die Stadt 1384 gegründet wurde, und hier wuchs "Schwedens Manchester" zur fünft größten Stadt Schwedens. In der Bildmitte ist der kupferbeschlagene Turm der Fabrik Holmens Bruk zu sehen, der die Stadt seit dem 17. Jahrhundert überragt.

Täällä käytti Motalan virta myllynpyöriä kauan ennen kaupungin perustamista 1384, ja täällä kasvoi "Ruotsin Manchester" valtakunnan viidenneksi kaupungiksi. Kuvan keskellä nähdään Holmens Brukin kuparinpeittämä torni, joka on hallinnut kaupunkia 1600-luvulta asti.

Här drev Motala Ström kvarnhjul långt före staden grundades 1384, och här växte "Sveriges Manchester" till rikets femte stad. Mitt i bild syns det koppartäckta tornet på Holmens Bruk, som dominerat staden sedan 1600-talet.

Bergs slussar

Göta kanal, Östergötland
7.6.1980, 300 m

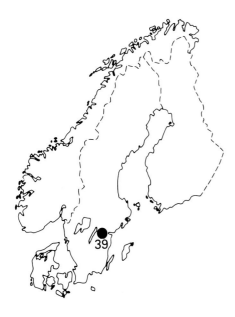

The series of locks at Berg, total elevation 36 metres, is a part of the Gothenburg-Stockholm canal system: 322 nautical miles through three canals, 65 locks, ten lakes and a stretch on the Baltic. It has been in use since 1832, but today almost exclusively for recreational traffic.

La différence du niveau en amont et en aval des écluses est de 36 m. Cet endroit est une véritable merveille. L'itinéraire reliant Gothembourg et Stockholm, long de 322 milles marins emprunte trois canaux, 65 écluses, 10 lacs et la Baltique. Navigable depuis 1832.

Die 36 m hohe Schleusentreppe bei Berg ist ein Teil des Blauen Bandes Schwedens – der Wasserstraße zwischen Göteborg und Stockholm: 322 Seemeilen durch drei Kanäle, 65 Schleusen, 10 Seen und ein Binnenmeer, befahrbar seit 1832.

Bergin luona olevat 36 m korkeat sulkuportaat muodostavat osan Ruotsin Sinisestä Nauhasta – Göteborgin ja Tukholman välisestä vesitiestä: 322 nauttista peninkulmaa läpi kolmen kanavan, 65 sulun, kymmenen järven ja yhden sisämeren, Itämeren (kulkukelpoinen vuodesta 1832 saakka).

Den 36 m höga slusstrappan vid Berg är en del av Sveriges Blåa Band, vattenvägen mellan Göteborg och Stockholm: 322 nautiska mil genom tre kanaler och 65 slussar, över tio sjöar och ett innanhav – Östersjön (farbar sedan 1832).

Ölandsbron

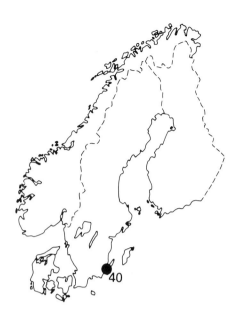

Kalmarsund, Öland
Byggd 1972
6.7.1981, 300 m

The longest bridge in Europe — 6072 metres. Among the pipelines and conduits underneath the roadway there is one that carries fresh water to the island, where natural water resources are scarce. Färjestaden — Ferry Town — at top right retains its name even though the ferries no longer run.

Le plus grand pont d'Europe (6 072 m). Sous la chaussée, diverses canalisations approvisionnent en eau notamment cette île souvent frappée par la sécheresse. La localité de Färjestaden se dessine à l'horizon.

Die Brücke ist die längste in ganz Europa (6072 m). Unter der Fahrbahn laufen verschiedene Leitungen, u.a. mit Frischwasser für die zeitweise von Trockenheit betroffene Insel Öland. Südlich des östlichen Brückenkopfes ist der Ort Färjestaden zu sehen.

Silta on Euroopan pisin (6072 m). Sillan ajoradan alla kulkee erilaisia johtoja, mm. vesijohto ajoittain kuivuuden koettelemalle Öölannille. Sillan itäisen maatuen eteläpuolella näkyy Färjestaden, vanhan rantatöyrään alapuolella.

Bron är Europas längsta (6072 m). Under vägbanan löper olika ledningar, bl.a. med färskt vatten till det tidvis torkdrabbade Öland. Söder om brons östra landfäste syns Färjestaden, nedanför den gamla strandbranten, Västra landborgen.

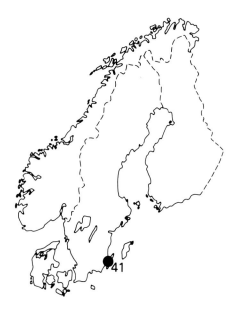

Möllstorp

Öland
6.7.1981, 100 m

This island, 137 km long and just 4—16 km wide, may be Sweden's smallest county, but its parched moorlands and rare flowers make it different from all the others and it takes more than just one holiday to see it all.

Œland est une île longue de 137 km et large de 4—16 km. Ce territoire très limité dénombre beaucoup de curiosités tellement différentes. Pour découvrir l'île toute entière et avoir le temps de se baigner, il faut y passer ses vacances à plusieurs reprises.

Die 137 km lange und nur 4—16 km breite Insel Öland ist die kleinste Landschaft Schwedens, aber reich an Sehenswürdigkeiten und ungleich aller anderen. Ein Urlaub reicht kaum aus, um die ganze Insel zu erforschen. Man muß ja auch Zeit für ein Sonnenbad haben!

137 km pitkä ja vain 4—16 km leveä Öölanti on Ruotsin pienin maakunta, mutta siellä on hyvin paljon nähtävyyksiä ja se on erilainen kuin kaikki muut maakunnat. Yksi loma tuskin riittää koko saaren tutkimiseen. Täytyyhän jäädä myös aikaa jäljelle aurinkokylpyjä varten!

Det 137 km långa och bara 4—16 km breda Öland är Sveriges minsta landskap, men det är rikt på sevärdheter och olikt alla de andra. En semester räcker knappast till för att utforska hela ön. Det måste ju bli tid över även för solbad!

42

Borgholms slott

Öland
6.7.1981, 175 m

The stone circle which is just visible in the centre of the courtyard marks the site of the keep of one of the biggest fortresses in Scandinavia. Last rebuilt after 1650 the entire building was gutted by fire in 1806.

Le bâtiment légèrement cintré dans la cour du château marque l'emplacement de l'ancienne tour d'un des plus grands chateaux médievaux des pays nordiques. La dernière restauration date de 1650. Le château fut ravagé par l'incendie en 1806.

Das kreisrunde Steingehege, das im Burghof zu sehen ist, zeigt den ehemaligen Standort des Hauptturms in einer der größten mittelalterlichen Burgen Nordeuropas. Der letzte Umbau wurde 1650 begonnen. Eine Feuersbrunst legte das Schloß 1806 in Ruinen.

Renkaan muotoinen kivilatomus joka pilkistää näkyviin linnanpihalla osoittaa päätornin paikkaa eräässä Pohjoismaiden suurimmista keskiaikaisista linnoista. Viimeinen uudesti rakentaminen aloitettiin 1650. Tulipalo hävitti linnan raunioiksi 1806.

Den cirkelrunda stensättningen som skymtar på borggården markerar kärntornets plats i en av Nordens största medeltida borgar. Den sista ombyggnaden påbörjades 1650. En eldsvåda lade slottet i ruiner 1806.

Högsrum

Öland
6.7.1981, 150 m

In fully mechanised farming, hay and straw are compacted into hard bales, easy to handle. They are rarely made bigger than those in the picture. A bale the size of two suitcases weighs no more than what you normally pack into one.

A l'époque de la mécanisation de l'agriculture, le foin et la paille doivent être comprimés en bottes dures et pourtant faciles à manutentionner.

In der mechanisierten Landwirtschaft von heute wird Heu und Stroh zu leicht hantierbaren harten Ballen gepreßt. Man macht sie selten größer als auf dem Bild. Ein Strohballen, groß wie zwei Koffer, wiegt nicht mehr als man in einen zu packen pflegte.

Nykyajan mekanisoidussa maanviljelyksessä sullotaan heinä ja oljet helppokäyttöisiksi, koviksi paaluiksi. Niistä tehdään harvoin suurempia kuin kuva osoittaa. Yksi olkipaalu, joka on kahden matkalaukun kokoinen, ei paina enempää kuin mitä on tapana pakata yhteen ainoaan laukkuun.

I dagens mekaniserade jordbruk packas hö och halm till lätt hanterliga, hårda balar. De görs sällan större än på bilden. En halmbal, stor som två resväskor väger inte mer än vad man brukar packa ned i en enda.

Norra Visby

Gotland
28.6.1980, 300 m

Most of the l3th-Century town wall of Visby is still in good shape — 6—12 metres high, 3.5 km long and with 44 towers. The church in the centre is the St. Nicolaus Ruin, a former Dominican church now the scene of the well-known Petrus de Dacia drama.

Au Gotland, île de la Baltique, la Hanse a laissé de profondes marques comme en témoigne ce mur de 13e siècle : 6—12 m de haut et 3,5 km de long où perchent 44 tours. Au centre, les ruines de l'église dominicaine St Nicholas, connues pour les jeux historiques qui s'y déroulent.

Das mittelalterliche Visby wird immer noch von einer gut erhaltenen Stadtmauer aus dem 13. Jahrhundert umgeben: 6—12 m hoch, 3,5 km lang, mit 44 Türmen. In Bildmitte ist die Ruine der Dominikaner-Kirche St. Nicolaus zu sehen, Szene der bekannten Ruinenspiele.

Keskiaikaista Visbytä ympäröi yhä hyvin säilynyt muuri 1200-luvulta: 6—12 m korkea ja 3,5 km pitkä käsittäen 44 tornia. Kuvan keskellä näkyy dominikaanien kirkon, Pyhän Nikolauksen, rauniot, jotka muodostavat tunnettujen raunionäytelmien näyttämön.

Det medeltida Visby omges forfarande av en väl bevarad mur från 1200-talet: 6—12 m hög och 3,5 km lång med 44 torn. Mitt i bild syns ruinen av dominikanernas kyrka, S:t Nicolaus, scen för de kända ruinspelen.

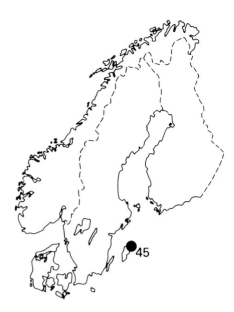

Fårö

Gotland
30.6.1979, 250 m

There was a day when Gotland had more than a hundred small fishing ports with waterfront sheds for overnight accommodation. The local type of boat was a 25-foot, narrow sailboat that could easily be pulled up on the beach from the shallow, unprotected water.

Au Gotland, il existait jadis plus d'une centaine de petites pêcheries avec leurs dépendances où habitaient occasionnellement les pêcheurs. Ils utilisaient des bateaux à voile légers, de 7,5 m de long, à fond plat pour pouvoir les tirer sur la plage.

Die Insel Gotland hatte früher über hundert kleine Fischerdörfer mit Strandhütten, in denen man während der Zeit des Fischfanges wohnte. Er wurde mit segelnden leichten, 7,5 m langen Booten betrieben, die man auf ungeschützte seichte Strände hochziehen konnte.

Gotlannissa oli ennen aikaan yli sata pientä kalastusyhdyskuntaa ranta-aittoineen, joissa asuttiin kalastusaikana. Sitä harjoitettiin purjehtivilla, kevyillä, 7,5 m pitkillä veneillä jotka voitiin vetää ylös matalille, suojattomille rannoille.

Gotland hade förr över hundra små fiskelägen med strandbodar, där man bodde under tiden för fisket. Det bedrevs med seglande "tremänningar", lätta, 7,5 m långa båtar som kunde dras upp på långgrunda, oskyddade stränder.

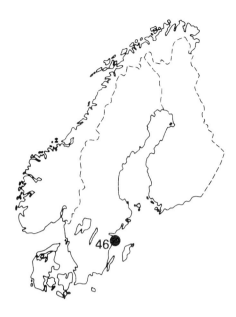

Harstena

Gryts skärgård, Östergötland
6.6.1980, 300 m

The East Coast islands offer many well-protected, natural harbours, so the more barren parts were never settled. People built their houses where there was land that could be tilled or turned into pasture for cattle and sheep.

Ici foisonnent les petites criques bien protégées, les îles arides sont donc inhabitées. Les petites fermes étaient construites aux endroits où la terre était suffisante pour l'agriculture ou l'élévage de bétail.

Hier gibt es viele geschützte Hafenbuchten, und karge Inseln verbleiben daher unbesiedelt. Die Höfe wurden gebaut, wo man bestellbare Erde oder Weiden für Kühe und Schafe fand.

Täällä on runsaasti suojaisia satamalahtia ja karut saaret ovat sen takia asumattomia. Talot rakennettiin sinne missä oli maata jota voitiin viljellä tai laidunmaata lehmille ja lampaille.

Här är gott om skyddade hamnvikar och karga öar ligger därför obebodda. Gårdarna byggdes där det fanns jord som kunde odlas eller betesmark för kor och får.

Sergels torg

Stockholm, Uppland
5.6.1982, 300 m

The Danish physicist/poet Piet Hein was trying to find the most effective way of routing the traffic around a fountain. The result was the "super ellipsoid", which is now the centre of Stockholm's new business district — a radical and rather risky heart transplant into an old city centre.

Piet Hein decouvrit la superellipse alors qu'il se creusait les méninges pour trouver une forme compatible aux flux de la circulation autour de la fontaine. Allier la géométrie du centre commercial à l'architecture d'une vieille capitale est un exploit comparable à une transplantation cardiaque.

Piet Hein entdeckte die Superellipse, als er nach der effizientesten Form für den Verkehrsfluß um die Fontäne suchte. Das supereffektive neue Geschäftszentrum Stockholms ist ein einmaliges und gefährliches Beispiel darüber, wie man den Mittelpunkt einer alten Hauptstadt austauschte.

Piet Hein keksi superellipsin etsiessään tehokkainta muotoa suihkukaivon ympäri kulkeville liikennevirroille. Tukholman superefektiivinen uusi liikekeskus on esimerkki ainutlaatuisesta ja vaarallisesta sydämenvaihdosta vanhassa pääkaupungissa.

Piet Hein upptäckte superellipsen när han sökte efter den mest effektiva formen för trafikströmmarna runt fontänen. Stockholms supereffektiva nya affärscentrum är ett exempel på ett unikt och farligt hjärtbyte i en gammal huvudstad.

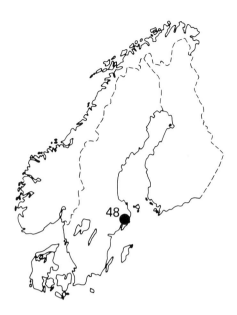

Tranholmen

Danderyd, Lilla Värtan, Uppland
7.6.1979, 150 m

The famous Vasa man of war from 1628 was salvaged from the waters of Stockholm harbour in 1961, but there are many more underwater treasures yet to be found. Somewhere near Tranholmen island is a wreck packed with loot from the 30-Years War.

Les eaux sui entourent Stockholm dissimulent des trésors plus conséquents que le réputé vaisseau royal Wasa qui en 1961 fut remonté à la surface après un séjour de 333 ans au fond de l'estuaire de Stockholm. Reste encore à découvrir l'epave contenant le butin de la guerre de Trente ans.

Die Gewässer um Stockholm herum verbergen mehr marine Schätze als das weltberühmte Regalschiff Vasa, das von 1628 bis 1961 auf dem Boden des Strömmen ruhte. Irgendwo in der Nähe dieser versunkenen Schiffe liegt ein mit Kriegsbeute aus dem Dreißigjährigen Krieg beladenes Schiff.

Tukholman ympärillä olevat vedet kätkevät useampia meren aarteita kuin maailmankuulun kuninkaanlaivan ''Vasan'', joka lepäsi Strömmenin pohjassa vuodesta 1628 vuoteen 1961. Jossain näiden uponneiden laivojen lähellä on hylky joka oli lastattu 30-vuotisesta sodasta saadulla sotasaaliilla.

Vattnen runt Stockholm gömmer på fler marina skatter än det världsberömda regalskeppet Vasa, som vilade på Strömmens botten från 1628 till 1961. Någonstans nära dessa sjunkna skepp ligger ett vrak lastat med krigsbyte från 30-åriga kriget.

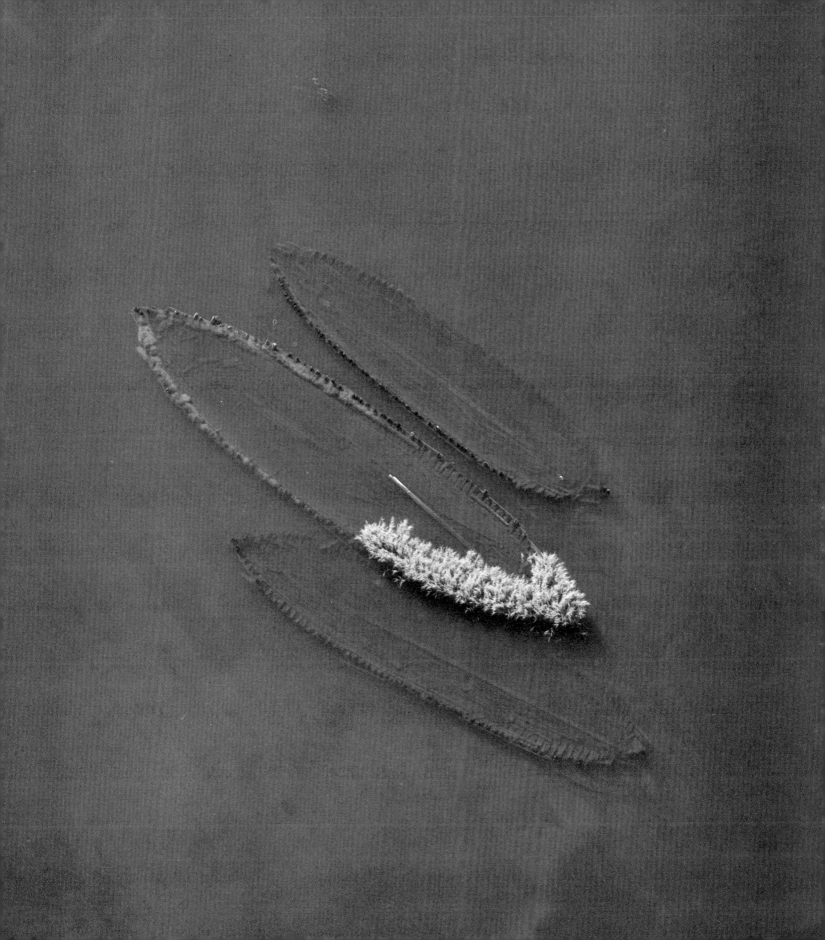

Stockholm

Södermanland-Uppland
16.7.1979, 500 m

The Stockholm waterways once
formed the main traffic artery of the
original Swedish kingdom in the l2th
Century. A trading centre was found-
ed which developed into the national
capital. Today the water is clean again
— you can take a swim or go fly-fish-
ing for salmon a few blocks from the
business district.

Au 12e siècle, le canal de Stockholm
était une voie d'accès vitale pour par-
venir au royaume de Svea. Les pilotis
de l'époque supportent toujours la
Venise du Nord qui se mire dans des
eaux assainies et riches en poissons.

Die Gewässer Stockholms waren die
Pulsader im Kern des Reiches der
Svea-Könige im 12. Jahrhundert. Wo
damals die Pfahlfeste gebaut wurde,
liegt heute die Stadt, die man auch die
Mälarkönigin nennt, umflossen und
umarmt vom gleichen Gewässer, das
heute wieder rein und fischreich ist.

Tukholman Salmi oli 1100-luvulla
Sveankuninkaiden valtakunnan sydä-
mestä tuleva valtimo. Siellä minne
tukkilinnoitus silloin rakennettiin si-
jaitsee nyt kaupunki jota kutsutaan
Mälarenin kuningattareksi — samojen
jälleen puhtaiden ja kalaisien vesien
ympäröimänä ja hyväilemänä.

Stockholms ström var pulsådern från
hjärtat i Sveakungarnas rike på
1100-talet. Där stockfästet då byggdes
ligger nu staden som kallas Mälar-
drottningen — omsluten och famnad
av samma vatten, åter rena och fisk-
rika.

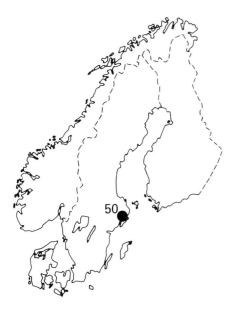

Gamla Stan och Slussen

Stockholm, Södermanland
5.6.1982, 300 m

The Stockholm Old Town is unique — never ravaged or looted by either conquerors or town planners. But that's probably far from the minds of the ten thousand marathon runners coming down the street, or the boating people just emerging from the lock underneath it.

La Vieille-Ville est unique en ce sens qu'elle ne fut jamais la proie des brigands, des conquérants ou des fonctionnaires de l'urbanisme — sur la photo, personne ne s'y intéresse malgré des dizaines de milliers de spectateurs du Marathon.

Die Altstadt ist einmalig: Sie wurde nie zerstört oder geplündert, weder von Eroberern oder Städteplanern. Kaum jemand auf dem Bild denkt daran, weder die zehntausend Teilnehmer des Marathonlaufes oder die Leute auf den Booten, die aus dem Mälarsee herausschleusten.

Vanha kaupunki (Gamla Stan) on ainutlaatuinen: sitä ei ole koskaan ryöstetty eikä valloittajat tai kaupunginsuunnittelijat ole sitä tuhonneet — mutta tuskin kukaan kuvassa omistaa sille ajatustakaan, eivät maratonjuoksun kymmenentuhatta osanottajaa eikä veneväki joka on tullut sulun läpi Mälarenilta.

Gamla stan är unik: den har aldrig härjats eller plundrats, varken av erövrare eller stadsplanerare — men det är knappt någon på bilden som ägnar det en tanke, varken de tiotusen deltagarna i maratonloppet eller båtfolket som slussat ut ur Mälaren.

Skansens friluftsmuseum

Stockholm Uppland
Grundat 1891
Midsommarafton 24.6.1983, 250 m

Midsummer's Eve is the high point of the year at Stockholm's famous folklore museum. Thousands of people join hands in the traditional dances and whirl past the old farmhouses from all parts of the country.

Le musée vivant de la culture suédoise n'est jamais si fréquenté qu'à la Saint-Jean. Les jeux et les farandoles se succèdent entre les vieilles fermes provenant de diverses régions du pays. La Saint-Jean est une commémoration paienne du solstice d'été. Photo prise en 1983.

Selten ist das Freiluftsmuseum schwedischer Kultur so voller Leben, wie gerade am Tag vor Mittsommer. Man tanzt die traditionellen Ringspiele auf dem Tingsvallen inmitten der alten Höfe aus allen den verschiedenen Landschaften Schwedens.

Harvoin on Hazeliuksen luoma ruotsalaisen kulttuurin elävä museo niin täynnä elämää kuin juuri juhannusaattona. Silloin tanssitaan perinteellisiä piirileikkejä Tingsvallenilla maan kaikilta eri seuduilta tuotujen vanhojen maatalojen keskellä.

Sällan är Hazelius' levande museum över svensk kultur så fyllt av liv som just på midsommaraftonen. Då dansas de traditionella ringlekarna på Tingsvallen mitt bland de gamla gårdarna från landets alla olika bygder.

Drottningholms slott

Lovön, Uppland
Arkitekt: Tessin d. ä.
29.8.1982, 275 m

The palace from 1681, the gardens and the 18th-Century Drottningholm Theatre are all worth a visit. Since the Royal Family have now moved to Drottningholm, this is undisputably the country's number one residence.

Dessiné par l'architecte Tessin, le château date de 1681. Le parc, la Pagode chinoise et le Théâtre de Drottningholm sont d'une grande beauté, La famille royale réside dans ce château depuis quelques années.

Das Schloß von 1681, Park, China-Schloß und Drottningholm-Theater sind alle gleich sehenswert. Nachdem auch die königliche Familie nach Drottningholm umzog, kann man es ohne Zweifel als die Schloßanlage Schwedens bezeichnen.

Linna joka on vuodelta 1681, puisto, Kiinan linna ja Drottningholmin teatteri ovat kaikki yhtä paljon näkemisen arvoisia. Sen jälkeen kun nyt myöskin kuninkaallinen perhe on muuttanut Drottningholmiin, ei ole epäilystäkään siitä että linnaa voidaan kutsua Ruotsin oivallisimmaksi.

Slottet från 1681, parken, Kina slott och Drottningholmsteatern är alla lika sevärda. Sedan nu även kungafamiljen flyttat ut till Drottningholm är det inte tu tal om att slottsanläggningen kan kallas Sveriges förnämsta.

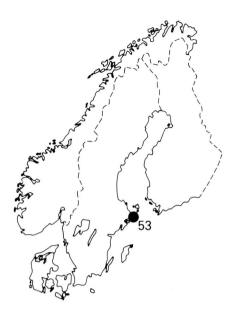

Norr-Raden, Stenfjärden

Söderskärgården, Norrtälje , Uppland
19.4.1979, 300 m

In winter, the still waters of the Stockholm archipelago are covered by some ten inches of ice for about two to three months. But in the outer reaches, the Baltic is totally unpredictable: anything between open water and almost inpenetrable ridges of pack-ice.

En hiver, les détroits, les baies et les criques sont couvertes d'une couche de glace de 30 cm d'épaisseur, durant deux-trois mois chaque année. Sur la côte de la Baltique la banquise interdise presque tout passage.

In Winter sind Förden und Sunde in den Schären zwei bis drei Monaten lang von mit bis 30 cm dickem Eis bedeckt. Draußen im Küstenband ändern sich die Verhältnisse ständig: von eisfrei und losem Treibeis bis nahezu undurchdringbaren Packeiswällen.

Talvisaikaan ovat ulapat ja salmet saaristossa 30 cm paksun jään peittämiä 2−3 kuukautta joka vuosi, mutta ulkosaaristossa vaihtelevat olosuhteet alituisesti: jäättömästä ajasta ja irrallisesta ajojäästä melkein läpäisemättömiin ahtojäävalleihin.

Vintertid är fjärdar och sund i skärgården täckta av 30 cm tjock is under två-tre månader varje år, men i havsbandet växlar förhållandena ständigt: från isfritt och lös drivis till nästan ogenomträngliga packisvallar.

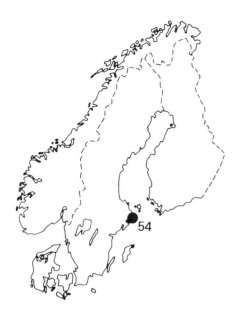

Humlö (vägen till Furusund)

Norrtälje skärgård, Roslagen, Uppland
7.7.1983, 300 m

The Stockholm archipelago has some 24,000 islands and skerries — roughly 11.4 per square mile — most of them uninhabited. But at the peak of the boating season, it is still difficult to find a quiet place to tie up for the night.

L'archipel de Stockholm comprend plus de 24 000 grandes et petites îles. La densité moyenne est de 4,4 îles par km² — dont la plupart sont inhabitées Pendant les vacances, il n'est pas toujours si simple de trouver une crique inoccupée.

Die Stockholmer Schären umfassen gut 24 000 Inseln und Schären — im Durchschnitt 4,4 Inseln pro km², die meisten unbewohnt. Während der Sommerferien kann es trotzdem schwierig sein, eine Hafenbucht ohne Boote zu finden.

Tukholman saaristo käsittää runsaat 24 000 saarta ja luotoa — keskimäärin 4,4 saarta /km² — ja useimmat asumattomia. Teollisuusloman aikana voi tästä huolimatta olla vaikeaa löytää satamalahti ilman veneitä.

Stockholms skärgård omfattar drygt 24 000 öar och skär — i medeltal 4,4 öar per km² — och flertalet är obebodda. Under industrisemestern kan det trots detta vara svårt att hitta en hamnvik utan båtar.

Husbyån, Skederid

Roslagen, Uppland
12.5.1979, 300 m

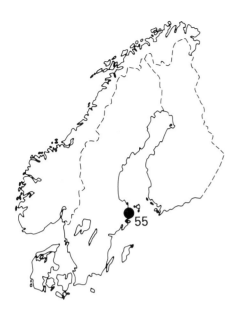

The newly ploughed fields are often as dry as dust, a real problem at sowing time in Uppland. Skederid Church is from the 13th Century and built of granite rock like most of Uppland's medieval churches.

Les labours sont souvent trop secs, ce qui pose des problèmes pour les cultivateurs au temps des semailles. A l'instar des églises médiévales de l'Uppland, celle de Skederid, datant du 13e siècle, est construite en pierre grise de la région.

Die frisch gepflügten Äcker trocknen im regenarmen Uppland rasch aus, was den Bauern während der Saatzeit oft Schwierigkeiten bringt. Skederids Kirche aus dem 13. Jahrhundert wurde aus Feldstein gebaut, wie auch die meisten anderen mittelalterlichen Kirchen Upplands.

Pölyävät vastaauratut pellot on valitettavan tavallinen kuva juuri kylvöaikaan liian kuivassa Upplannissa. Skederidin 1200-luvulta peräisin oleva kirkko on rakennettu harmaakivestä kuten useimmat Upplannin keskiaikaisista kirkoista.

De nyplöjda åkrarna ligger ökentorra, vilket ofta är ett problem för Upplandsbönderna under såningstiden. Skederids kyrka från 1200-talet är byggd av gråsten likt flertalet av Upplands medeltida kyrkor.

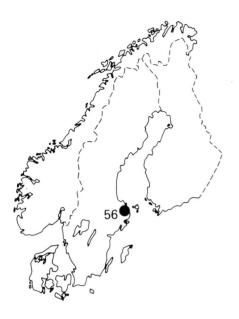

Uppland

15.8.1979, 200 m

56

The muted shades of late summer have settled on the Uppland pastures. This is cattle and dairy country: the fields that are not used as pastures carry fodder crops.

L'été déclinant traîne dans son sillage une palette de couleurs nostalgiques qui s'étendent sur les immenses plaines de l'Uppland. L'élévage de bétail et les produits laitiers sont les spécialités de la région ; le bétail vit dans les pâtures côtoyant les champs de céréales.

Die harmonische, aber wehmütige Farbenskala verleiht den meilenweiten Ebenen in Uppland ein besonderes Gepräge. Hier sind Viehzucht und Molkereiindustrie wichtig. Das Vieh weidet auf grünen Wiesen, und auf den Äckern baut man Futtersaat an.

Jälkikesän herkät mutta alakuloiset värit painaa leimansa peninkulmanlaajuisille Upplannin tasangoille. Täällä ovat karjanhoito ja meijeritalous tärkeitä. Karja käy kesälaitumella ja pelloilla viljellään rehuviljaa.

Sensommarens finstämda men vemodiga färgskala sätter sin prägel på de milsvida uppländska slätterna. Här är boskapsskötsel och mejerihantering viktiga; boskapen går på grönbete och på åkrarna odlas fodersäd.

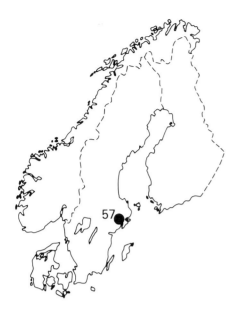

Gripsholms slott

Mariefred, Mälaren, Södermanland
11.7.1982, 175 m

In 1537 King Gustavus Vasa started to build this fine castle, which was a royal palace for three centuries. Today it houses the National Portrait Gallery with some 2,500 portraits of prominent Swedes.

Durans son règne Gustav Vasa fit construire en 1537 en bordure du lac Maelar ce magnifique château, résidence royale pendant trois siècles. Aujourd'hui, le visiteur peut admirer les 2 500 toiles représentant des personalités suédoises à travers les âges.

Gustav Vasa begann 1537, dieses stattliche Schloß zu bauen, königliche Residenz während drei Jahrhunderten. In den prachtvollen Renaissance-Gemachen hängen nun ca. 2 500 Gemälde berühmter Schweden aus allen Zeiten — die Portraitsammlungen des schwedischen Staates.

Kustaa Vaasa aloitti tämän loistavan linnan rakentamisen 1537, joka tuli olemaan kuninkaallinen asuinpaikka kolmen vuosisadan aikana. Loisteliaissa renesanssihuoneissa riippuu nyt noin 2 500 taulua jotka esittävät kuuluisia kansalaisia kautta aikojen — Ruotsin valtion muotokuvakokoelmat.

Gustav Vasa började 1537 bygga det ståtliga slottet, kungligt residens under tre sekler. I de praktfulla renässansgemaken hänger nu ca 2 500 tavlor föreställande berömda svenskar genom tiderna — svenska statens porträttsamlingar.

Ål

Heby, Fjärdhundra, Uppland
10.3.1981, 200 m

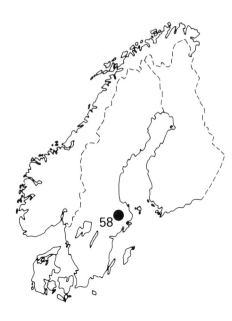

58

The hedges and buildings of the old village give shelter from the north wind, and the spring sun quickly melts the last snow of the season. This is the northern limit for growing grapes outdoors – at the same latitude as Greenland.

Le soleil printanier, dans son étreinte juvénile, fait fondre la neige au pied des haies et des bâtiments qui coupent le vent du nord. Ici s'arrete la limite de la culture du raisin en terre franche – sous les latitudes septentrionales!

Wenn die Frühlingssonne von Tag zu Tag immer höher über den Horizont steigt, schmilzt der Schnee tagsüber vor den vom Nordwind schützenden Hecken und Häusern des alten Dorfes. Hier geht die nördliche Grenze für den Anbau von Trauben im Freiland – auf grönländischen Breitengraden!

Kevätauringon noustessa päivä päivältä yhä korkeammalle taivaanrannan yläpuolelle sulaa lumi lopputalven auringonlämmössä vanhan kylän pensasaitojen ja talojen suojassa jotka antavat suojan pohjoistuulelta. Täällä kulkee avomaan rypäleiden viljelyksen pohjoisraja – Grönlannin leveysasteilla!

När vårsolen dag för dag stiger allt högre över horisonten smälter snön i dagsmejan i skydd av den gamla byns häckar och hus som ger lä för nordanvinden. Här går nordgränsen för odling av druvor på friland – på grönländska breddgrader!

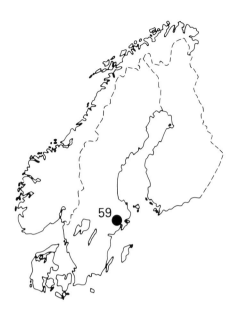

Strängnäs

Södermanland
11.7.1982, 300 m

With scholarly and clerical traditions that date back 800 years, Strängnäs remains a cultural centre for the Lake Mälaren region, which was the cradle of the Swedish kingdom. The l3th-Century cathedral and the l5th-Century bishops palace still dominate the town skyline.

Strängnäs, siège épiscopal depuis le 12e siècle, reste encore un centre culturel de la vallée du Maelar où se trouvent maints établissements scolaires. La cathédrale date du 13e siècle et l'évêché du 14e.

Die Stift- und Schulstadt Strängnäs mit Ahnen aus dem 12. Jahrhundert ist immer noch ein kulturelles Zentrum im Mälartal mit vielen verschiedenen Schulen. Die Domkirche aus dem 13. Jahrhundert und Bischofsburg vom l5. Jahrhundert beherrschen immernoch das Stadtbild.

Piispan ja koulujen kaupunki Strängnäs jolla on perinteitä 1100-luvulta on yhä vieläkin Mälarlaakson kulttuurikeskus monine erilaisine kouluineen. 1200-luvulta peräisin oleva tuomiokirkko ja 1400-luvun piispanlinna hallitsevat jatkuvasti kaupunginkuvaa.

Stifts- och skolstaden Strängnäs med anor från 1100-talet är alltjämt ett kulturellt centrum i Mälardalen med många olika skolor. Domkyrkan från 1200-talet och biskopsborgen från 1400-talet dominerar fortfarande stadsbilden.

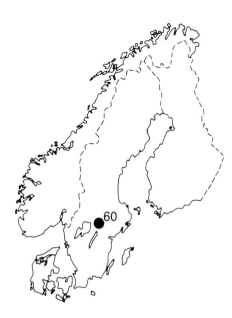

Örebro

Närke
1.9.1979, 300 m

Örebro and its renaissance castle have played a key part in history many times, fought over and besieged by Swedes, Norwegians and Danes. This is where Sweden's first parliamentary statutes were proclaimed in 1617, and where Marshall Bernadotte was chosen successor to the throne in 1810.

La ville d'Örebro et son château du 16e siècle ont souvent figuré dans l'histoire, puisqu'elle faisait l'objet de la convoitise des Suédois, des Norvégiens et des Danois. C'est ici que fut décrétée, en 1617, la première loi organique du Parlement et, en 1810, que Bernadotte fut sacré roi de Suède.

Örebro und dessen Vasaburg spielten oft eine zentrale Rolle in der Geschichte, umstritten und belagert von Schweden, Norwegern und Dänen. Hier bekam Schweden seine erste Reichstagsverordnung 1617 — und hier wurde Marschall Bernadotte 1810 zum Thronfolger gewählt.

Örebro ja sen Vaasa-linna ovat monta kertaa näytelleet keskeistä osaa historiassa, ja on ollut ruotsalaisten, norjalaisten ja tanskalaisten piirittämä. Täällä Ruotsi sai ensimmäisen valtiopäiväjärjestyksensä 1617 — ja myös täällä marsalkka Bernadotte valittiin kruununperijäksi 1810.

Örebro och dess Vasaborg har många gånger spelat en central roll i historien, omstritt och belägrat av svenskar, norrmän och danskar. Här fick Sverige sin första riksdagsordning 1617 — och här valdes marskalk Bernadotte till tronföljare 1810.

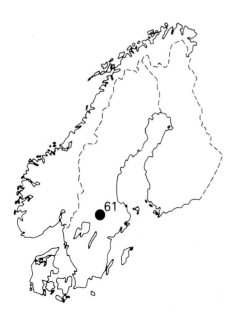

Stjernfors herrgård

Ljusnarsberg, Bergslagen, Västmanland
Från 1650-talet
13.7.1982, 250 m

Since time immemorial Bergslagen has been iron-working country, formerly in dozens of small foundries but today concentrated in a few large works. At Stjernfors, built in the 1650's, the forge closed in 1907. It is now being restored, and will be part of the local technical museum which also includes a traditional country store and a minerals museum.

Les anciennes forges, si fréquentes dans les petits villages de la région de Bergslagen ont disparu pour faire place à quelques grandes installations industrielles. Le marteau à barre s'arrêta en 1907 déjà, mais a été restauré pour compléter le musée technique.

Die uralte Eisengewinnung in Bergslagen, die früher in vielen kleinen Bergwerksdörfern betrieben wurde, ist nun auf einige wenige große Einheiten beschränkt. Hier wurde der Stangeneisenhammer bereits 1907 außer Betrieb genommen, aber wieder restauriert für das technische Museum des Herrenhofes das auch Landhandel und Mineralmuseum umfaßt.

Ikivanha raudanjalostus Bergslagenissa, jota aikaisemmin harjoitettiin useissa pienissä tehdasyhdyskunnissa, on nykyään keskitetty muutamiin suuriin yksiköihin. Täällä poistettiin tankorautavasara käytöstä jo 1907, mutta se on nyt entisöitävänä saadakseen paikan kartanon teknisessä museossa, joka myös käsittää maalaiskaupan ja kivennäismuseon.

Den urgamla järnhanteringen i Bergslagen, som förr bedrevs i många små brukssamhällen, har nu koncentrerats till ett fåtal stora enheter. Här togs stångjärnshammaren ur drift redan 1907, men den restaureras nu för att ingå i gårdens tekniska museum, som även omfattar lanthandel och mineralfynd.

Pannkakan

Nedre Ullerud, Värmland
14.7.1982, 300 m

Forestry is now a matter for scientists. To ensure a sufficient future supply of timber for industry, the law stipulates a reafforestation based on strictly scientific principles.

Soumis aux règles scientifiques et à la législation régissant le repeuplement sylvicole, les chantiers de coupe produiront la matière première nécessaire à l'industrie du bois et du papier dans un avenir éloigné.

Zugang zu Rohwaren für Holzindustrie in der Zukunft – und neue Stämme für Holzflöße, gleich jener, die sich an der Flußmündung sammelten – werden durch wissenschaftliche Forstpflege und gesetzlich vorgeschriebene Neupflanzung abgeholzter Flächen sichergestellt.

Raaka-aineen saanti metsäteollisuudelle tulevaisuudessa – ja uusia tukkeja tukkisumille jollaisia on keräytynyt joensuuhun – turvataan tieteellisellä metsänhoidolla ja lakisääteisillä uusilla istutuksilla hakatuilla alueilla.

Tillgång på råvara för skogsindustrin i framtiden – och nya stockar för timmerflottar likt den som samlats vid älvmynningen – säkras genom vetenskaplig skogsvård och lagstadgad nyplantering på avverkade arealer.

Klarälven vid Ekshärad

Älvdalen, Värmland
15.9.1981, 300 m

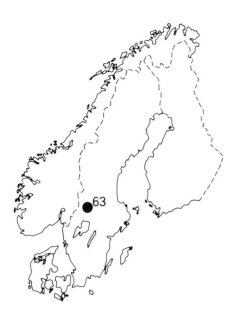

●63

Legend has it that there is a crock of gold at the foot of the rainbow — and indeed there are some who pan for gold along the banks of the river. But the real gold of this valley is its miles and miles of pine forests.

Selon les dictons légendaires, l'or gît au pied de l'arc-en-ciel. Muni de l'équipement requis, un chercheur trouvera peut-être quelques grains dans le lit du fleuve, mais la vraie richesse pousse dru sur les côteaux.

Nach einer Sage soll man angeblich Gold am Fuße eines Regenbogens finden können — aber auch wenn es vielleicht möglich ist, einige Goldkörner aus dem Kies des Flusses herauszuwaschen, ist das wirkliche Gold von Älvdalen dessen riesiger grüner Wald.

Tarun mukaan olisi kultaa löydettävissä sateenkaaren juurella — mutta vaikkakin ehkä on mahdollista huuhtoa esiin muutamia kultajyväsiä pohjasorasta, niin on Älvdalenin todellinen kulta sen laajat, vihreät tukkimetsät.

Enligt sägnen skall man kunna finna guld vid regnbågens fot — men även om det kanske är möjligt att vaska fram några korn ur bottengruset är Älvdalens verkliga guld dess vida, gröna timmerskogar.

Tåsjön

Dalarna
31.4.1980, 500 m

The two river valleys of Dalarna and the fertile land around Lake Siljan have been settled since time immemorial. And yet, large tracts of this countryside are still a wilderness where you can travel miles to your nearest neighbour, and where wolves may again be heard after being absent for nearly a century.

Bien que séculaires, les localités riveraines des affluents du Dalälven et du lac Siljan sont toujours entourées de régions sauvages, où les habitants ne s'aventurent pas puisque le plus proche voisin se trouve à des kilomètres de distance et que les loups hurlent à la lune.

Die Landschaften entlang des Väster- und Österdalälven und die Landschaft am Siljansee haben zwar uralte Siedlungen, aber große Teile der Landschaft bestehen immer noch aus urwüchsiger Wildnis, wo es weit zwischen den Höfen ist und wo nun wieder Wölfe im Mondschein heulen.

Länsi- ja Itä-Taalainjoen seuduilla asutus on tosin ikivanhaa, mutta suuret osat maakuntaa ovat jatkuvasti jylhiä erämaita, joissa välimatkat talojen välillä ovat pitkät ja joissa sudet jälleen ulvovat kuutamossa.

Ådalarna och Siljansbygden har visserligen en urgammal bebyggelse, men stora delar av landskapet utgörs fortfarande av vilda tassemarker, där det är långt mellan gårdarna och där vargar nu åter ylar mot månen.

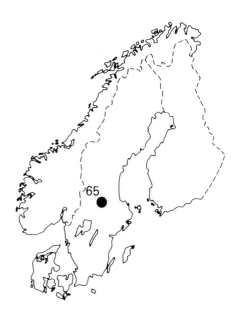

Storgruvestöten

Falu gruva, Falun, Dalarna
20.7.1982, 300 m

The oldest joint-stock company in the world, Stora Kopparbergs Bergslag, has extracted almost 400,000 tonnes of copper from the biggest copper mine in the world. This open pit was created when the old copper mountain simply fell into the mine in 1687.

Stora Kopparbergs Bergslag a exploité près de 400 000 tonnes du cuivre dans cette mine considérée comme la plus grande et la plus ancienne au monde Percé de toutes parts, le gisement s'effondra en 1687 comme en témoigne cet immense trou.

Man rechnet damit, daß die älteste Gesellschaft der Welt, die Stora Kopparbergs Bergslag, hier nahezu 400 000 t Kupfer in der größten Kupfergrube der Welt abbaute. Das große Loch in der Erde entstand, als der total unterminierte Kupferberg 1687 in die alte Grube einstürzte.

Maailman vanhimman yhtiön, Stora Kopparbergs Bergslagin, arvioidaan louhineen täällä likimain 400 000 tonnia kuparia maailman suurimmassa kuparikaivoksessa. Ammottava reikä syntyi maahan kun täysin tyhjennetty vanha kuparivuori 1687 syöksyi alas kaivokseen.

Världens äldsta bolag, Stora Kopparbergs Bergslag, beräknas här ha brutit nära 400 000 ton koppar i världens största koppargruva. Det gapande hålet i marken uppstod när det totalt underminerade Tisksjöberget midsommardagen 1687 störtade ned i den gamla gruvan.

Forsmark

Uppland
7.7.1983, 300 m

66

Old Forsmark was a neatly laid out community with the manor, the village street, the church and the ironworks, now dead and abandoned. But behind it is new Forsmark with its nuclear plant on the shore of the Bothnian Sea.

Derrière l'ancienne localité — le château, l'église et les forges — vestiges d'un passé artisanal, les temps modernes se traduisent dans la centrale nucléaire de Forsmark sur la côte de la Baltique.

Hinter dem alten Forsmark — das gutgeplante Bergwerksdorf mit dem Herrenhof, dem jetzt stillgelegten Eisenwerk, der Hauptstraße und Kirche — sieht man das neue Forsmark, das Kernkraftwerk am Ufer des Bottnischen Meerbusens.

Vanhan Forsmarkin — hyvin suunnitellun tehdasyhdyskunnan herraskartanoineen, nyt toimintansa lopettaneen rautatehtaan, tehtaankadun ja kirkon — toisella puolen näkyy uusi Forsmark: ydinvoimalaitos Selkämeren rannalla.

Bortom det gamla Forsmark — det välplanerade brukssamhället med herrgården, det nu nedlagda järnbruket, bruksgatan och kyrkan — syns det nya Forsmark: kärnkraftverket vid stranden av Bottenhavet.

Eggegrunds fyr

Gävlebukten, Gästrikland
5.8.1979, 300 m

The land is here rising out of the sea, and there are few places where you can see it as clearly as along the shores of this island, which has risen about 25 inches in the past century. A thousand years ago this island was but a dangerous reef.

Les strates de pierre et de cailloux illustrent l'élévation de la terre à la cadence de 65 cm par siècle. Au temps des Vikings, cette île n'était qu'une tête de roche au ras de l'eau.

Alte Strandwälle aus Stein und Kies zeigen, daß sich das Land aus dem Meer erhebt, gerade hier etwa 65 cm pro Jahrhundert. Die ganze Insel war in der Wikingerzeit nicht mehr als eine gefährliche Untiefe.

Kiviset ja soraiset vanhat rantatörmät osoittavat maan kohoavan merestä, juuri tällä paikalla 65 cm sadassa vuodessa. Viikinkiajalla koko saari ei ollut paljon muuta kuin vaarallinen kari.

Gamla strandvallar av sten och grus visar att landet höjer sig ur havet, just här med 65 cm på ett århundrade. Hela ön var på vikingatiden inte mycket mer än ett farligt grund.

Bönans fyr och lotsplats

Gästrikland
14.3.1984, 175 m

The pilots are often idle, since the harbour is icebound. Shipping is still possible — but in convoys with ice-breaker assistance. In these parts solid shore ice is usual from January to April every year.

Prisonniers de la grande glace, les bateaux-pilotes sont bien souvent forcés au chômage du mois de janvier au mois d'avril. Les brise-glace entraînent dans leur sillage les convois maritimes.

Unbeschäftigt eingefroren liegen oft die Boote der Lotsen im Eis, das die Schiffe zwingt, im Geleitzug mit Hilfe von Eisbrechern zu fahren. Hier liegt schweres landfestes Eis von Januar bis April, auch während eines normalen Winters.

Luotsiveneet makaavat usein jäihin kiinni jäätyneinä, ja toimettomina, kun laivat kulkevat saattueena jäänmurtajan avulla. Täällä on vaivalloinen kiinto-jää tammikuusta huhtikuuhun vieläpä tavallisina talvina.

Lotsbåtarna ligger ofta sysslolösa, infrusna i isen som tvingar fartygen att gå i konvoj med isbrytarhjälp. Här ligger svår landfast is från januari till april även under vanliga vintrar.

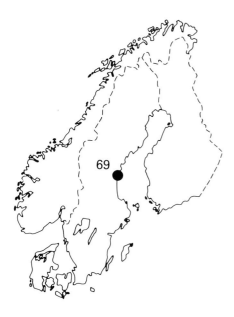

Kuggören

Hornslandet, Hudiksvall, Hälsingland
7.7.1980, 300 m

69

Many of the islets and skerries along the Bothnian coast consist of glacial moraine. In these waters few sailors venture outside the marked channels. The local herring catch has from time immemorial been fermented into "surströmming" − a delicacy which maturing doesn't make worse.

Les îlots sont souvent composés de moraine riche en gros blocs de pierre. A l'approche de ce cap, il est préférable de suivre les passes pour éviter les récifs. Depuis l'Age de la pierre, les générations se sont transmises l'art de la fermentation du poisson qui gagne en saveur plus il est conservé.

Viele Inseln und Schären der Binnenseen und Archipele bestehen aus blockreicher Moräne. Hier trauen sich nicht viele Segler, die betonnten Wasserwege zu verlassen. Die Ausbeute von Ostsee-Heringen wird hier von jeher eingegoren − eine Konserve die durch langes Lagern nicht schlechter wird.

Pohjanlahden rannat ovat usein kuten monet sisäjärvien saaret ja kärjet runsaslohkareista moreenia. Tällä ei moni purjehtija uskalla poiketa viitoitetuista väylistä. Silakoista valmistetaan Ruotsin puolella hapansilakkasäilvkkeitä, joiden maku ei voi huonontua purkissakaan.

Många av insjöarnas och skärgårdarnas holmar och skär består av blockrik morän. Här är det inte många seglare som vågar lämna de prickade farlederna. Skördarna från havet förädlas här sedan hedenhös till surströmming - som inte kan bli sämre av att lagras.

Gästrikland

Sandviken, Gästrikland
6.3.1982, 150 m

70

In the wintertime, the sun stays low — never more than 6.5 degrees above the horizon in December. So noontime shadows are long. The ski tracks show that there is deep snow in the birch forest.

En hiver, le soleil s'élève très peu au-dessus de l'horizon (seulement 6 1/2° en décembre) dessinant sur le sol des ombres démesurées en plein jour. La couche de neige est très épaisse à juger de la piste de ski dans ce bois de bouleaux.

Im Winter steht die Sonne nur niedrig über dem Horizont (im Dezember nur 6 1/2°) und lange Schatten fallen auch mitten am Tag. Die Schispuren zeigen, daß tiefer Schnee im Birkenwald liegt.

Talvella aurinko on täällä alhaalla taivaanrannan yläpuolella (joulukuussa vain 6 1/2°) ja varjot lankeavat pitkinä vieläpä keskellä päivää. Ladut osoittavat, että lunta on paksulti koivumetsässä.

På vintern står solen här lågt över horisonten (i december bara 6 1/2°) och skuggorna faller långa även mitt på dagen. Skidspåren visar att snön ligger djup i björkskogen.

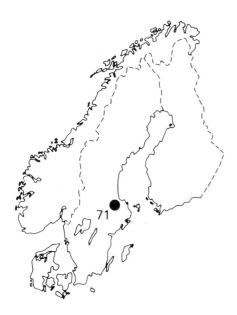

Rörberg

Gästrikland
22.7.1983, 300 m

A wide swath had to be cut through the forests to bring the power from the northern hydro plants to the industries in southern Sweden. In December, 1983, an accident cut the supply in these lines. Half Sweden was without electricity for half an hour.

Les lignes électriques empruntent ce large coupe-feu pour distribuer aux industries dans le sud du pays la puissance fournie par les centrales hydro-électriques sur les fleuves du Grand-Nord. Une panne survenue en décembre 1983 sur cette ligne justement plongea la moitié du pays dans l'obscurité complète.

In der breiten Überlandleitung-Schneise wird Wasserkraft von den Flüssen Norrlands zu den Industrien Südschwedens geleitet. Als der Strom in eben diesen Leitungen in Hamra im Dezember 1983 ausfiel, wurde halb Schweden über eine halbe Stunde lang stromlos.

Norrlannin jokien vesivoimaa kuljetetaan leveänä johtokatuna Etelä-Ruotsin teollisuudelle. Virran katketessa juuri näissä johdoissa Hamrassa joulu-kuussa 1983 jäi puolet Ruotsista ilman sähköä yli puolen tunnin ajaksi.

I den breda ledningsgatan förs vattenkraften från Norrlands älvar till industri-erna i södra Sverige. När strömmen i just dessa ledningar bröts i Hamra i december 1983 blev halva Sverige strömlöst i mer än en halv timme.

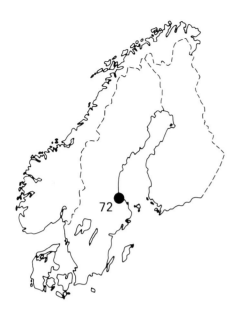

Sörby, Gävle

Gästrikland
6.3.1982, 150 m

Church, school, nursery school, sports arena, shopping centre, homes and terrace houses — a typical Swedish suburb. Clearing snow, oil bills and property taxes are the normal worries of the day.

L'église, l'école, la garderie d'enfants, la plaine de sports, le magasin et les villas : un faubourg très ordinaire en Suède, le déblaiement de la neige, la consommation de fuel domestique et les impôts immobiliers faisant l'objet des soucis quoditiens.

Kirche, Schule, Kindergarten, Sportplatz und Geschäft, Villen und Reihenhäuser: ein ganz gewöhnlicher kleiner schwedischer Vorort, wo Schneeschippen, Heizölverbrauch und Villenbesteuerung zu den alltäglichen Themen gehören.

Kirkko, koulu, päiväkoti, urheilukenttä ja kauppa, huviloita ja rivitaloja: aivan tavallinen pieni ruotsalainen esikaupunkiyhdyskunta, jossa lumenluonti, öljynkulutus ja huvilaverotus kuuluvat arkisiin huoliin.

Kyrka, skola, daghem, idrottsplats och butik, villor och radhus: ett helt vanligt litet svenskt villasamhälle, en stadsdel där snöskottning, oljeförbrukning och villabeskattning hör till vardagens bekymmer.

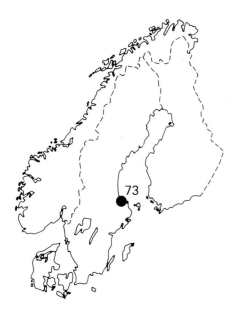

Brämsand

Dalälvens mynning, Uppland
3.8.1980, 250 m

The Nordic summer is short, but its days are long. Swedes have developed a knack of getting the most out of them. And there is an ancient legal tradition called "Right of Public Access" which gives everyone a chance to find that perfect beach.

Sous les latitudes nordiques, l'été est beaucoup trop court — tout un chacun met tout en œuvre pour profiter au maximum de ces longues journées. Le droit à la nature autorise tout le monde à se promener n'importe où en toute liberté.

Der nordische Sommer ist viel zu kurz — aber alle tun, was sie können, um diese langen, hellen und lieblichen Tage so gut wie möglich auszunützen. Das uralte schwedische Jedermannsrecht bietet auch allen Möglichkeit, sich die schönsten Strände auszusuchen.

Pohjoismaiden kesä on aivan liian lyhyt — mutta kaikki tekevät parhaansa käyttääkseen hyväkseen sen pitkiä, valoisia ja ihania päiviä. Ikivanha joka-miehenoikeus antaa myös kaikille mahdollisuuden hakeutua kauneimmille-kin rannoille.

Den nordiska sommaren är alltför kort — men alla gör vad de kan för att ta väl vara på dess långa, ljusa och ljuvliga dagar. Den urgamla allemansrätten ger också alla möjlighet att söka sig ned till de skönaste stränderna.

Övermo

Leksand, Dalarna
8.8.1984, 300 m

Shimmering blue heights, Siljan's fair waters, "Falu"-red cottages, yellow fields and the blue waters of Österdalälven — this is for many people Summer Sweden in a nutshell.

Les collines bleuissantes, l'eau limpide du lac Siljan, les châlets rouges, les champs jaunes et la rivière Österdalälven forment un paysage miniature de la Suède en été qu'apprécient les touristes.

Blaue Berge, des Siljansees Spiegel, die eisenoxydroten Holzhäuser, goldgelbe Felder und die blauen Wasser des Österdalälven — das ist für viele der Inbegriff des sommerlichen Schwedens.

Siljanin siintävät järvenselät, keltaiset viljapellot ja punamullan väriset maalaistalot - siinä Taalainmaan kesä ja tunnuskuva.

Blånande höjder, Siljans väna vatten, faluröda stugor, gula fält och Österdalälvens blåa vatten — det är för mången Sommarsverige i ett nötskal.

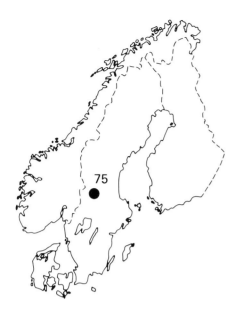

Björnsaberg

Mora, Dalarna
6.9.1984, 300 m

75

During the summer in former days, the cattle and their dairymaids took to the remote hills, where small settlements grew up. They were even then inhabited only a few months of the year. The nomads of our time, the holiday-makers, have put new life into these old hill pastures.

Au nord du pays, les éleverus de bétail emmenaient leurs animaux dans les pâturages de montagne en été. Les vacanciers, nomades de notre ère, redonnent de la vie à ces anciens pâturages.

Um die Weiden weitab von den Gehöften auszunützen, trieb man früher das Vieh in Nordschweden im Sommer zu den Sennerwiesen in den Wäldern. Die neuen Nomaden unserer Zeit, die Urlauber, beleben hier eine alte Sennerwiese.

Ennen aikaan vietiin karja Pojois-Ruotsissa kesän ajaksi erämaiden kaukaisille laitumille. Aikamme uudet vaeltajat, lomaväki, on täällä antanut uutta elämää vanhalle karjamaja-asutukselle ajokelpoisen tien varrella.

För att utnyttja betet i bygdernas utmarker fördes förr boskapen i norra Sverige sommartid upp till fäbodvallar i skogarna. Vår tids nya nomader, semesterfolket, har här givit nytt liv åt en gammal fäbod vid en farbar väg.

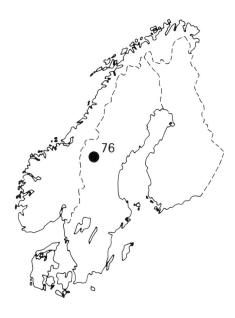

Storådörren

Lunndörrsfjällen, Härjedalen-Jämtland
15.10.1978, 400 m

From the forests of Härjedalen, this valley leads into the heart of Vålådalen.
Further to the east, a trail leads through a similar U-shaped valley towards
the north.

Partant des grandes forêts, la vallée de Storådörren sert de passage menant
à Vålådalen en plein cœur des montagnes du Jämtland. Un chemin encaissé
se prolonge plus loin vers l'est — à d. sur la photo — pour atteindre Lunndör-
ren.

Von den Wäldern in Härjedalen führt die Talsohle von Storådörren ins Herz
des jämtländischen Gebirges, zu Vålådalen. Ein Wanderpfad mit Markierung
geht weiter nach Osten — rechts des Gebirges auf dem Bild — durch ein
ähnliches U-Tal, Lunndörren.

Härjedalenin metsistä johtaa Storådörrenin laaksouoma Jämtlannin tunturi-
maailman sydämeen, Vålådaleniin. Viitoitettu tie vie kauemmaksi itään —
oikealla kuvassa olevista tuntureista — samanlaisen U-laakson, Lunndör-
renin, läpi.

Från Härjedalsskogarna leder Storådörrens dalgång in till hjärtat av Jämt-
lands fjällvärld, till Vålådalen. En rösad led går längre mot öster — t.h. om
fjällen på bilden — genom en likadan U-dal, Lunndörren.

Sylstationen

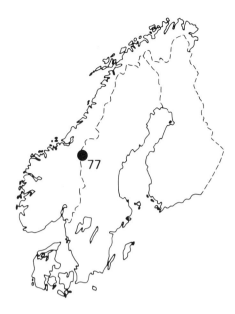

Sylarna, Jämtland
1288 m ▲
16.4.1983, 300 m

High above the timber line and many miles from roads and settlements, access is by snowscooter or helicopter unless you ski in winter or hike in summer.

Des étendues immenses et pas le moindre chemin pour parvenir à la station dans les montagnes de Sylarna. En hiver, les skis, le scooter de neige et l'hélicoptère sont les seuls moyens de locomotion. Joli but de voyage pour les marcheurs en été.

Meilenweite, wegelose Weiten umgeben die Gebirgsstation Sylarna – dahin kann man nur mit dem Motorschlitten oder Hubschrauber kommen, wenn man nicht Schilaufen kann – oder im Sommer zu Fuß wandert.

Peninkulmanlaajuiset, tiettömät aukeat ympäröivät Sylarneiden tunturiasemaa jonne voidaan päästä vain lumiskootterilla tai helikopterilla, jollei halua tai voi hiihtää – tai mennä jalkaisin kesällä.

Milsvida, väglösa vidder omger Sylarnas fjällstation – dit man bara kan komma med snöscooter eller helikopter, om man inte vill eller kan åka skidor – eller gå till fots på sommaren.

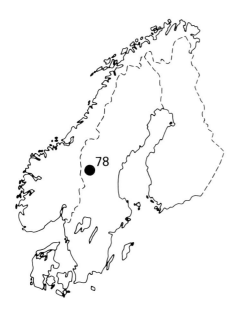

Hovärken

Lofsdalen, Härjedalen
1125 m ▲
15.9.1980, 100 m

When the rocky slopes of Hovärken are covered by several feet of snow, they attract skiers to the hotel and chalets at the foot of the mountain. But in the summer, the lakes and wetlands in the valley below are more of an attraction. They offer trout fishing and cloudberries.

Ces pentes rocheuses sont, en hiver, couvertes d'une épaisse couche de neige à la grande joie des amateurs de ski. Au pied de la colline, le sol marécageux porte des mûriers aux fruits jaunes et la truite saumonée frétille dans les lacs attirant les touristes à la bonne saison.

In metertiefe Schneewehen eingehüllt locken die steinigen Abhänge des Hovärken viele Schiläufer zum Hotel Lofsdalen und dessen Hütten. Im Sommer dagegen haben die Multbeeren der Hochmoore und Fische der Gebirgsseen bedeutend größere Anziehungskraft als das vom Frost zerwitterte kahle Gebirge.

Metrinsyvyisiin lumikinoksiin verhoutuneina Hovärkenin kiviset mäet houkuttelevat monia hiihtäjiä Lofsdalenin hotelleihin ja tupakyliin. Kesäaikaan sitävastoin on soiden lakoilla ja järvien taimenilla huomattavasti suurempi vetovoima kuin pakkasen rapauttamalla tunturin laella.

Svepta i meterdjupa snödrivor lockar Hovärkens steniga backar många skidåkare till Lofsdalens hotell och stugbyar. Sommartid har däremot myrarnas hjortron och sjöarnas öringar betydligt större dragningskraft än det frostvittrade kalfjället.

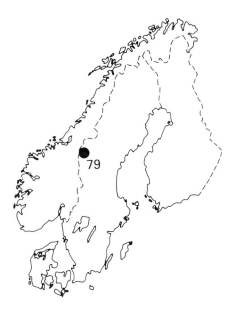

Storulvåns fjällstation

Jämtland
730 m ▲
16.4.1983, 300 m

Just below the timber line, the ground covered by a thin forest of mountain birch, which does not offer much protection from the gales that can hit skiers and hikers almost without warning in these parts.

A une certaine altitude, le climat et la topographie empêchent la croissance des arbres. Cette limite est démarquée par une ceinture de bouleaux rabougris offrant contre les tempêtes une protection alléatoire aux marcheurs ou skieurs amateurs de longues randonnées.

Gerade unterhalb der Baumgrenze ist der Boden von einem lichten und niedrigwachsenden Wald von Gebirgsbirken bedeckt. Sie bieten nicht viel Schutz gegen die Stürme, die hier nahezu ohne Vorwarnung den Gebirgswanderer oder Schiläufer überraschen können.

Aivan puurajan alapuolella maa on harvan ja matalakasvuisen tunturikoivun peittämä. Se ei tarjoa paljon suojaa niitä myrskyjä vastaan jotka täällä melkein ilman esivaroitusta saattavat koetella tunturiretkeilijöitä ja hiihtäjiä jotka ovat pitkällä retkellä.

Just nedanför trädgränsen täcks marken av en gles och lågvuxen skog av fjällbjörk, som inte ger mycket skydd mot de stormar som här nästan utan förvarning kan drabba fjällvandrare och skidåkare på långtur.

Tännforsen

Åre, Jämtland
2.10.1979, 300 m

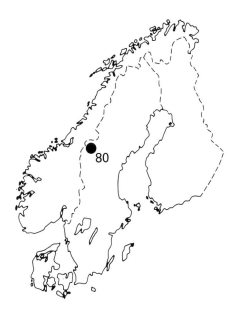

80

There is an elevation difference of 37 metres between the lakes Tännsjön and Östra Norn. The Tännforsen Rapids have a clear drop of 26 metres, 60 metres wide. This is the start of the mighty Indalsälven River.

Entre les lacs de Tännsjön et d'Östra Norn, la différence de niveaux est de 37 m. La hauteur perpendiculaire de la cascade proprement dite est de 26 m, la largeur étant de 60 m. C'est ici que l'imposant fleuve Indalsälven prend sa source.

Der Höhenunterschied zwischen den Seen Tännsjön und Östra Norn beträgt 37 m. Der senkrechte Fall des Tännforsen ist 26 m hoch und 60 m breit. Hier beginnt der mächtige Fluß Indalsälven.

Korkeusero Tännsjönin ja Östra Nornin järvien välillä on 37 m. Tännforsenin pystysuora putous on 26 m korkea ja 60 metriä leveä. Mahtava Indalsälven saa alkunsa täältä.

37 m är höjdskillnaden mellan Tännsjön och Östra Norn. Tännforsens lodräta fall är 26 m högt och 60 m brett. Här börjar den mäktiga Indalsälven.

Bydalen

Jämtland
15.4.1979, 175 m

More and more, Swedes are now going in for Alpine skiing. The new tourist facilities cut swathes through the forests, which have completely reshaped the landscape in some areas. Bydalen is a typical Swedish 'alpine' resort, another is Tärnaby, where Ingemar Stenmark learned his trade.

Les torrents en ravinant les pans de montagne créaient naguère des chemins naturels. Aujourd'hui, il faut des routes pour permettre aux fantastes du ski de s'adonner à leur sport favori. Åre, Tärnaby, Bydalen et nombreuses autres localités possèdent des installations modernes pour accueillir les touristes.

Jetzt sind es nicht nur Schluchten, die Schneisen durch den Wald an den Gebirgsabhängen schlagen. Sonne und Schnee und Slalom locken jedes Jahr immer mehr Urlauber zu den neuen Turistenanlagen in der Gebirgswelt, nach Åre, Ingemar Stenmarks Tärnaby, Bydalen und vielen anderen Orten.

Eivät vain lumivyöryt yksinään enää revi auki uria metsään tuntureiden rinteillä. Aurinko ja lumi ja slalom houkuttelevat joka vuosi yhä useampia lomanviettäjiä ylös uusiin matkailulaitoksiin tunturimaailmassa, Åreen, Tärnabyhyn, Bydaleniin ja moniin muihin.

Det är inte längre bara laviner som river upp gator genom skogen på fjällens sluttningar. Sol och snö och slalom lockar varje år allt fler semesterfirare upp till de nya turistanläggningarna i fjällen, till Åre, Tärnaby, Bydalen och många andra.

Hoverberget

Svenstavik, Jämtland
548 m ö. h.
6.8.1979, 175 m

Hoverberget rises 256 metres above the fertile fields around Lake Storsjön. The old custom of drying hay on temporary fences in the fields still survives. It is hard work to set them up, but nobody has yet devised a mechanised technique that can do the job as well.

Par rapport à la plaine, cet imposant mamelon s'élève à une hauteur de 256 m. L'église de Berg se reflète dans le lac Storsjön et, à l'avant-plan, le fermier sèche son foin à la manière d'antan.

Der mächtige Hoverberget hebt sich 256 m über die fruchtbaren Äcker der Storsjölandschaft. Auf den Wiesen im Vordergrund trocknet man heute noch, wie auch früher, das Heu auf langen Heureitern. Bergs Kirche spiegelt sich im Wasser des Sees Storsjön.

Mahtava Hoverberget kohoaa 256 m Storsjö-seudun viljavien peltojen yläpuolelle. Etualalla näkyvillä törmillä kuivataan heinä pitkillä haasioilla, nyt kuten ennenkin. Bergin kirkko kuvastuu Storsjöniin.

Det mäktiga Hoverberget höjer sig 256 m över Storsjöbygdens bördiga åkrar. På vallarna i förgrunden torkas höet på långa hässjor, nu som förr. Bergs kyrka speglar sig i Storsjön.

Rörströmssjön

Hoting, Ångermanland
7.8.1979, 250 m

83

A ridge several miles long splits Lake Rörströmssjön down the middle with
only two narrow channels joining the halves. In some parts of the country,
formations like this have been used as natural road embankments.

Cette langue de terre coupe le lac Rörströmssjön sur toute sa longueur. Ne
serait-ce deux petits canaux, cet isthme ressemble aux phénomènes geogra-
phiques de plusieurs lacs en Suède, notamment ceux de Hedesunda et de
Färnebo.

Der meilenlange Rücken teilt den Rörströms-See der Länge nach, unterbro-
chen von nur zwei Sunden. Ähnliche, natürliche Dämme gibt es in mehreren
anderen schwedischen Seen, u.a. in den Hedesunda- und Färnebofärden.

Peninkulmanpituinen harju jakaa Rörströmssjönin pitkittäin kahtia, vain kah-
den salmen katkaisemana. Samankaltaisia, luonnollisia tievalleja on useissa
muissa Ruotsin järvissä, mm. Hedesunda- ja Färnebofjärdarneissa.

Den milslånga åsen tudelar Rörströmssjön på längden, avbruten bara av två
sund. Liknande, naturliga vägbankar finns i flera andra svenska sjöar, bl.a. i
Hedesunda- och Färnebofjärdarna.

172

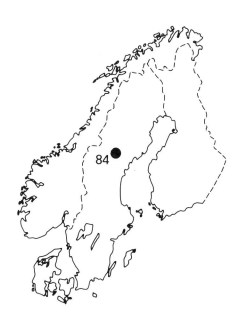

Ångermanälven

Ångermanland
7.8.1979, 150 m

84

The traditional type of river logging is almost a thing of the past. Today, trucks and railways are mostly used to take the timber to the sawmills. But on the last stretch, along the coast, small tugboats take over.

La route et le chemin de fer assument aujourd'hui les transports du bois de grume en direction des usines de pâte de cellulose et des scieries. Le flottage ne se pratique plus sauf sur le dernier tronçon où évoluent les petits remorqueurs en longeant la côte.

Auch wenn fast alles Holz heute mit LKWs und von der Bahn zu den Holzindustrien am Meer transportiert wird, erfolgt immer noch der letzte Transport entlang der Küste mit Hilfe von kleinen Schleppern.

Vaikkakin melkein kaikki puutavara nykyään kuljetetaan metsäteollisuuksille kuorma-autoilla ja junalla metsistä merelle, tapahtuu yhä viimeinen kuljetusmatka rannikkoa pitkin pienien hinaajien avulla.

Även om nästan allt timmer i dag transporteras till skogsindustrierna med lastbil och tåg från skogarna till havet, sker fortfarande den sista transportsträckan längs kusten med hjälp av små bogserbåtar.

174

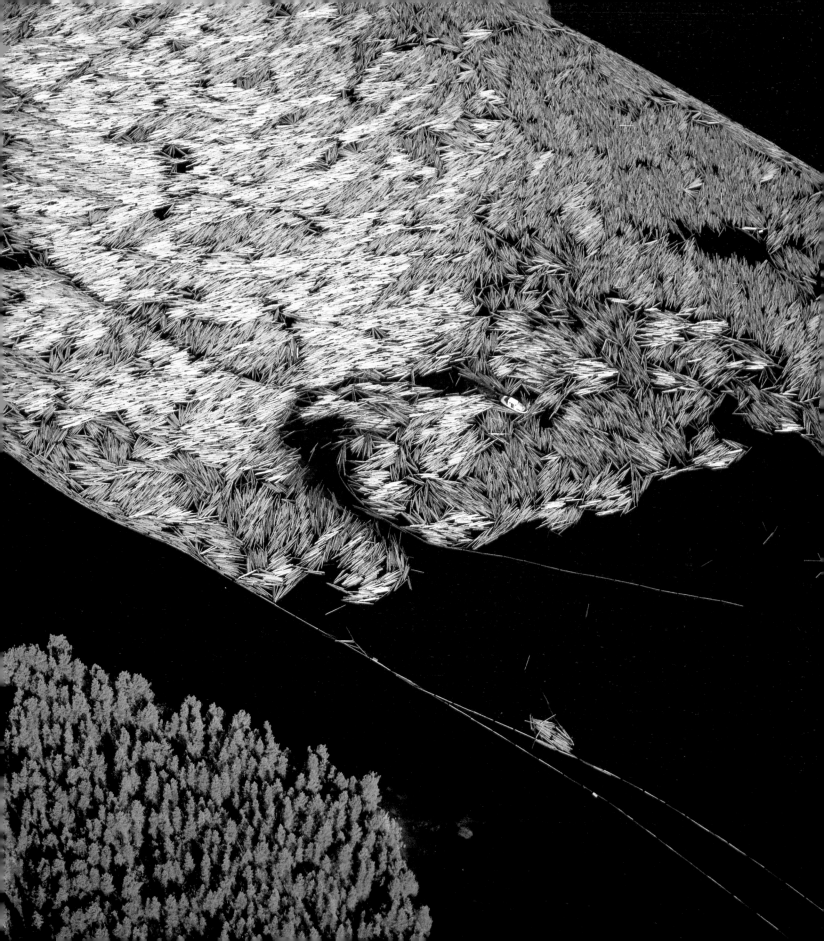

Wifstavarf Finpappersbruk

Timrå, Medelpad
3.6.1982, 350 m

85

Forestry products are still a mainstay of the Swedish economy, and paper mills are a common sight along the coast and nowhere more so than around Sundsvall. Two major rivers join the sea with only a few miles between them, and there are plenty of good harbour sites here.

Toute la côte du Norrland est caractérisée par les nombreuses industries forestières, mais nulle part la densité n'est aussi forte que dans la région de Sundsvall. L'embouchure du Ljungan est distante de vingt kilomètres de celle de l'Indalsälven. La topographie se prête très bien à l'amenagement d'installations portuaires.

Entlang der Norrlandküste liegen viele Holzindustrien, aber nirgendwo so dicht wie in der Gegend von Sundsvall. Hier sind es weniger als 20 km zwischen den Flußmündungen des Ljungan und Indalsälven, und es ist leicht, gute Häfen zu bauen.

Pitkin koko Norrlannin rannikkoa ovat metsäteollisuudet tiheässä, mutta eivät missään niin tiheässä kuin Sundsvallin seudulla. Täällä on alle 20 km Ljunganin ja Indalsälvenin suuhaarojen välillä, ja täällä on helppoa rakentaa hyviä satamia.

Längs hela norrlandskusten ligger skogsindustrierna tätt, men ingenstans så tätt som i Sundsvallstrakten. Här är det mindre än två mil mellan Ljungans och Indalsälvens mynningar, och här är det lätt att bygga goda hamnar.

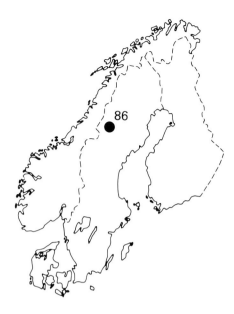

Saxnäs

Kultsjön, Västerbottensfjällen, Lappland
26.7.1980, 300 m

Here close to the Arctic Circle the summer months never bring more than a few hours of dusk at night. The intense light gives berries and vegetables a very special flavour. A particularly delicious kind of potato is grown here at the foot of Marsfjället. Saxnäs is also a centre of tourism.

Près du cercle Polaire, les nuits d'été sont très claires quoique le soleil ne soit pas visible à l'horizon. L'insolation très intense à cette période de l'année donne aux légumes et aux baies un goût savoureux. Au pied de la montagne Marsfjället, culture d'une délicate variété de pomme de terre. Saxnäs est un centre touristique bien connu.

Hier in der Nähe des Polarkreises hat man während der Sommermonate nie mehr als einige kurze Stunden nächtlicher Dämmerung. Im intensiven Licht bekommen Beeren und Gemüse einen besonders delikaten Geschmack. Am Fuße des Marsfjälls wird eine sehr schmackhafte Kartoffelsorte angebaut, Saxnäs ist doch meistens als Zentrum für Touristen bekannt.

Napapiirin seuduilla on hämärää kesäkuukausien aikana vain muutamia lyhyitä tunteja keskiyöllä. Hellittämättömässä valossa marjat ja vihannekset saavat erityisen hyvän maun. Täällä Marstunturin juurella viljellään herkullista manteliperunaa - mutta Saxnäs on eniten tunnettu matkailukeskuksena.

Här nära polcirkeln är det under sommarmånaderna aldrig mer än skymning några korta timmar nattetid. I det intensiva ljuset får bär och grönsaker en speciellt fin smak. Delikat mandelpotatis odlas här vid Marsfjällets fot, men Saxnäs är bäst känt som turistcentrum.

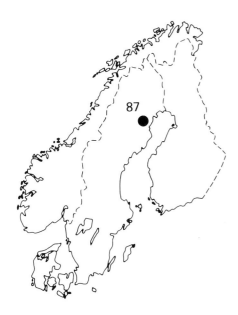

Fällfors

Byskeälven, Västerbotten
3.7.1980, 200 m

Byskeälven still flows freely but the main channel has been improved for logging. There is a quay alongside the rapids. As late as 1967, logs in their thousands were driven here. Even barrels of wood tar, Västerbotten's chief export in former times, were floated down to the coast.

La rivière Byskeälven coule librement malgré les barrages des centrales hydroélectriques. Un chemin suit la berge du torrent qui, jusqu'en 1967, servait au flottage de milliers de troncs d'arbres. A une époque révolue, les industries de la région flottaient des tonneaux de goudron de bois très demandé sur le marché des exportations.

Noch braust der Byskeälv ungezähmt, doch ist er nicht frei von Eingriffen. Ein ausgebauter Weg geht entlang der gereinigten Fallstrecke. Noch 1967 wurden hier tausende von Stämmen geflößt. Auch Fässer mit Holzpech — lange Västerbottens wichtigste Ausfuhrware — wurden früher geflößt.

Byskejoki virtaa yhä edelleen ilman kahleita, mutta sen kosket eivät silti ole luonnontilassa, koska ne on perattu uittoa varten — joka jatkui vuoteen 1967. Ennen vanhaan uitettiin tervatynnyritkin — Länsipohjan silloinen tärkein vientitavara.

Byskeälven forsar ännu fri, men den är ändå inte helt outbyggd. En väg följer den rensade forsen. Ännu år 1967 flottades här tiotals tusen timmerstockar. Även tunnor med trätjära — länge Västerbottens viktigaste exportvara — flottades förr.

Lövholmens sågverk

Piteå, Norrbotten
26.7.1981, 250 m

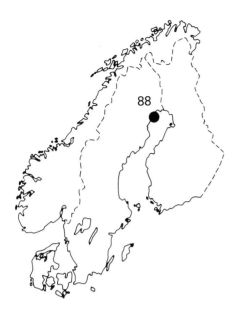

Transporting timber by sea is hard work, but sorting it is a science. Today, computers are used to increase the yield of every log and cut down wastage to a minimum.

Le flottage en train amène le bois dans les installations de triage avant de pénétrer dans la scierie. L'ordinateur et l'informatique permettent d'extraire un maximum de bois de chaque grume et les pertes sont insignifiantes.

Hierher wird das Holz auf dem Wasser in großen Bündeln bugsiert, sortiert und aufgesägt. Mit Hilfe der Datentechnik steigt nun die Ausbeute bei jedem Stamm, und nur sehr wenig wertvolles Holz geht verloren.

Puutavara hinataan tänne meriteitse suurissa nipuissa lajiteltavaksi ja sahattavaksi. Tietotekniikan avulla lisääntyy nyt jokaisesta tukista saatava voitto, ja hyvin vähän arvokkaasta puutavarasta menee hukkaan.

Hit bogseras timret sjövägen i stora knippen för att sorteras och sågas. Med datateknikens hjälp ökas nu utbytet av varje stock, och mycket litet av det värdefulla virket går förlorat.

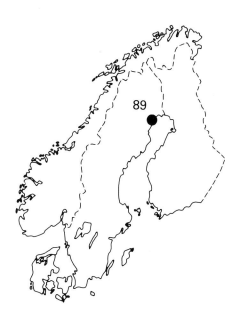

Öjebyn

Piteå, Norrbotten
9.8.1979, 200 m

89

Going to church can be quite an undertaking in a sparsely settled country. Many people were unable to do it in one day. That's the origin of the "church village", a huddle of cottages next to churches serving parishes that might be as large as a British county. Many cottages still belong to families who normally live miles away.

L'église est entourée d'une cité paroissiale composée de petites maisons avec écuries attenantes. A l'occasion des grandes fêtes religieuses, les fermiers éloignés devaient entreprendre une véritable expédition. Ils habitaient occasionnellement ces bâtiments, dont certains servent encore.

Die Kirche ist noch von einer Ansammlung kleiner Häuser mit zugehörigen Ställen umgeben. Zu den großen kirchlichen Feiertagen sammelten sich die Norrland-Bauern von weit und breit in den Kirchspiel-Kirchen und wohnten dann in ihren eigenen kleinen Hütten zusammen mit dem Hausgesinde. Einige werden immer noch verwendet.

Kirkkoa ympäröi vieläkin pienien talojen kirkkokaupunki talleineen. Suurina kirkkopyhinä kokoontuivat norrlantilaistalonpojat pitkien matkojen päästä pitäjäkirkkoihin, ja asuivat silloin omissa pienissä tuvissaan talonväkensä kanssa. Useat tuvat ovat jatkuvasti käytössä.

Här runt Öjebyns medeltida stenkyrka låg Piteå stad till branden 1666. Kyrkan omges nu av en kyrkstad av små hus med tillhörande stall. Till de stora kyrkhelgerna samlades norrlandsbönderna långväga ifrån till sockenkyrkorna, och bodde då i sina egna små stugor med sitt husfolk. Flera används fortfarande.

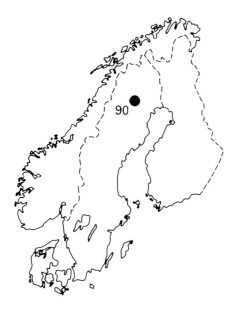

Varjisåvattnen

Jokkmokk, Norrbotten
20.7.1982, 300 m

90

With more than a hundred thousand lakes, Sweden is said to have more lakes relative to its area than any other country. Many of them are leftovers of the continental ice cap that covered the country several thousand years ago, that built up ridges of boulders and moraine with depressions between them.

Avec ses cent mille lacs, la Suède est un pays extraordinaire. Les nappes d'eau sont encaissées dans les cavités formées pendant l'Ere glacière ou tout simplement retenues par des barrages et des digues naturels composés de moraine et de gravier roulé datant également de l'Ere glacière.

Mit seinen hunderttausand Seen hat Schweden den höchsten Anteil Seen per km^2 Landareal in der Welt. Die meisten Seen liegen in Senken und Tälern in den Spuren des Inlandeises, und viele liegen hinter natürlichen Dämmen von Moränewällen und Rollsteinrücken, auch dies erinnert an die Eiszeit.

Tämä on Ruotsi — maailman järvirikkain maa, jossa on yli satatuhatta järveä. Useimmat järvistä sijaitsevat notkelmissa ja painumissa, mannerjäätikön jäljissä, ja monet sijaitsevat luonnollisten moreenivallipatojen ja vierinkivi-harjujen takana — myöskin ne jääkauden muistoja.

Detta är Sverige — världens sjörikaste land med över hundra tusen sjöar. Flertalet sjöar ligger i svackor och sänkor i inlandsisens spår, och många ligger bakom naturliga dammar av moränvallar och rullstensåsar — även de minnen från istiden.

Boden

Norrbotten
19.7.1982, 250 m

Along with smorgasbord and ombudsman, "orienteering" is a Swedish word that has found its way into English dictionaries lately. It's a sport: finding your way across unknown country with a map and compass in the shortest possible time. This meeting in 1982 attracted 15,045 participants from 30 countries. What the picture shows, of course, is not the unknown country but the home stretch.

L'orientation est devenue un sport très populaire en Suède. Chaque année est organisée une grande compétition internationale appelée "Les cinq journées". La compétition à Boden réunissait, en 1982, 15 045 participants représentant une trentaine de pays.

Der Orientierungslauf ist zu einem wirklichen Volkssport in Schweden angewachsen. Jedes Jahr veranstaltet man den größten Wettkampf − "Femdagars" − der sich über ganze fünf Tage erstreckt. Die Wettkämpfe 1982 lockten 15 045 Teilnehmer aus 30 Ländern.

Suunnistus on kasvanut todelliseksi kansanurheiluksi Ruotsissa. Joka vuosi järjestetään maailman suurin suunnistuskilpailu, "Fem-dagars", joka käsittää kokonaista viisi kilpailupäivää. Bodenin kilpailut 1982 houkuttelivat 15 045 osanottajaa kolmestakymmenestä maasta.

Orienteringen har vuxit till en verklig folksport i Sverige. Varje år ordnas världens största orienteringstävling, "Femdagars", som omfattar hela fem tävlingsdagar. Tävlingarna 1982 lockade 15 045 deltagare från trettio länder.

Ängeså

Överkalix, Norrbotten
Arctic Circle, Cercle Polaire, Polarkreis,
Napapiiri, Polcirkeln
2.8.1980, 200 m

Norrbotten: endless pine forests, wide rivers, few people. And summers
without nights, and bitingly cold winters without daylight. Rapids where the
salmon rise, cloudberry bogs, and a special little insect more memorable
than everything else — the mosquito.

Des forêts immenses, des fleuves imposants, des longues distances entre les
villages, c'est cela la Bothnie du Nord. Mais aussi le soleil de minuit en été et
l'obscurité quasi-totale en hiver. La pêche au saumon et la cueillette des
baies sauvages ou des champignons — sans oublier les moustiques et les
cousins.

Norrbotten: Meilenweite Wälder, breite Flüsse, große Abstände zwischen
den Bauernhöfen und Dörfen. Aber auch Sommer ohne Nächte — grimmig
kalte Wintertage ohne Tageslicht. Lachsflüsse und Multbeeren-Hochmoore,
aber auch Schnaken und Kriebelmücken.

Norrbotten: Peninkulmien laajuisia metsiä, leveitä jokia, pitkät välit talojen ja
kylien välillä. Mutta myöskin kesä ilman öitä — ja purevan kylmät talvivuoro-
kaudet ilman päivänvaloa. Lohijokia ja lakkasoita — mutta myöskin sääskiä ja
mäkäröitä.

Norrbotten: Milsvida skogar, breda älvar, långt mellan gårdar och byar. Men
också sommar utan nätter — och bistert kalla vinterdygn utan dagsljus.
Laxälvar och hjortronmyrar — men också mygg och knott.

Torne älv

Norrbotten
9.8.1979, 150 m

93

Only the lightest parts of the river sand bank are above the shoreline. The darkness of the brown water indicates its depth. The boat is lying in very deep water, but the opposite shore is shallow.

Les parties claires illustrent le banc de sable en affleurement. Plus l'eau est brune plus profond est le fleuve. D'un côté du bateau la profondeur tombe à pic et de l'autre juste de quoi se mouiller le pied.

Von den Sandbänken im Fluß sind nur die allerhellsten Teile oberhalb der Strandlinie zu sehen. Je dunkler das braune Wasser, desto tiefer der Fluß. Auf der Seite der Sandbank, an der das Boot liegt, geht es steil in die Tiefe, die andere Seite ist seicht.

Joessa olevasta hiekkasärkästä ovat vain kaikkein vaaleimmat osat rantaviivan yläpuolella. Kuta tummemmat joen ruskeat vedet, sitä syvempi vesi on. Sillä särkän puolella jossa vene on, on äkkisyvää, toisella puolen on matalaa.

Av sandbanken i älven är bara de allra ljusaste delarna ovan strandlinjen. Ju mörkare älvens bruna vatten, desto djupare är vattnet. På den sida av sandbanken där båten ligger är det tvärdjupt, på andra sidan långgrunt.

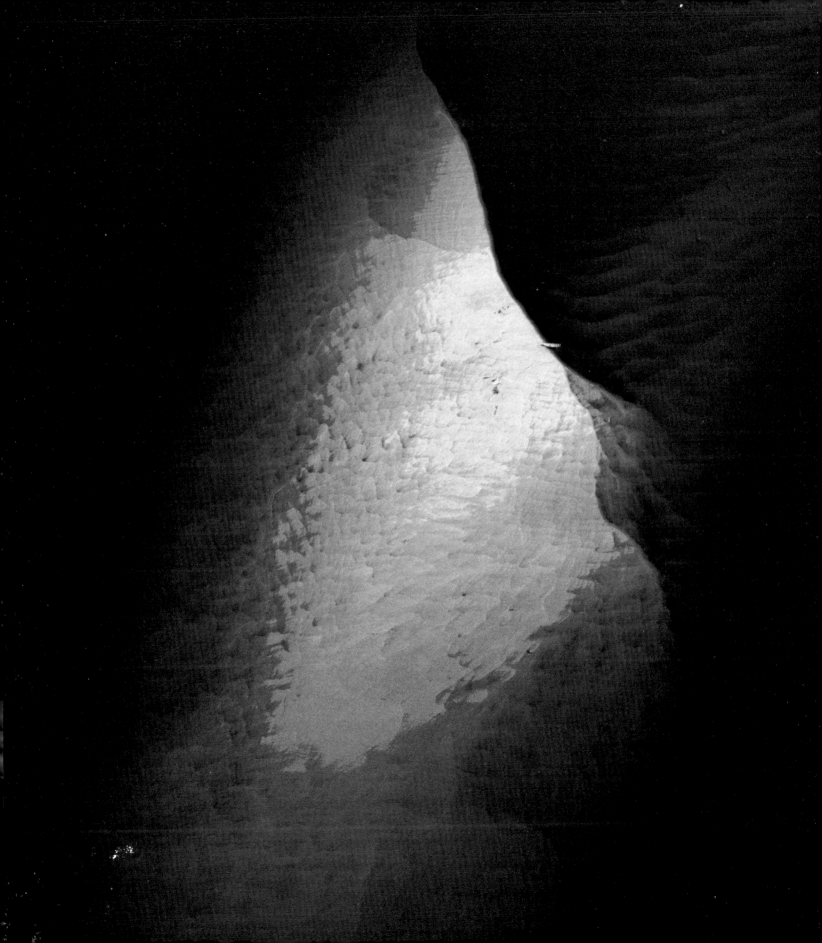

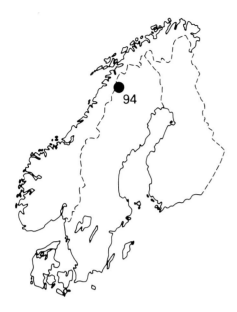

Glaciär

Sulitelma, Lappland
29.7.1979

94

The furrowed, dirty surface of the glacier, like an elephant's hide, bears witness to the effects of summer sunshine, the passage of the glacier over uneven ground and increasingly polluted air in the mountains.

L'aspect souillé et les fissures du glacier — ressemblant à une peau d'éléphant — sont les traces laissées par les glissements de la glace sous l'action du soleil et la pollution athmosphérique dans cette contrée éloignée.

Die zerklüftete, schmutzige Oberfläche des Gletschers — die der Haut eines alten Elefanten gleicht — zeugt vom Einfluß der Sommersonne, der Bewegung des Eises über den unebenen Felsen unter dem Gletscher und der zunehmenden Verschmutzung auch der Gebirgsluft.

Glasieerin rikkihalkeillut, likaantunut pinta — joka muistuttaa vanhan elefantin nahkaa — todistaa kesäauringon vaikutuksesta, jään liikkeistä epätasaisen vuoren yli jäätikön alla, ja tunturi-ilman lisääntyvästä likaantumisesta.

Glaciärens sönderspruckna, nedsmutsade yta — som liknar huden på en gammal elefant — vittnar om påverkan av sommarsol, isens rörelser över det ojämna berget under glaciären, och den tilltagande nedsmutsningen av fjälluften.

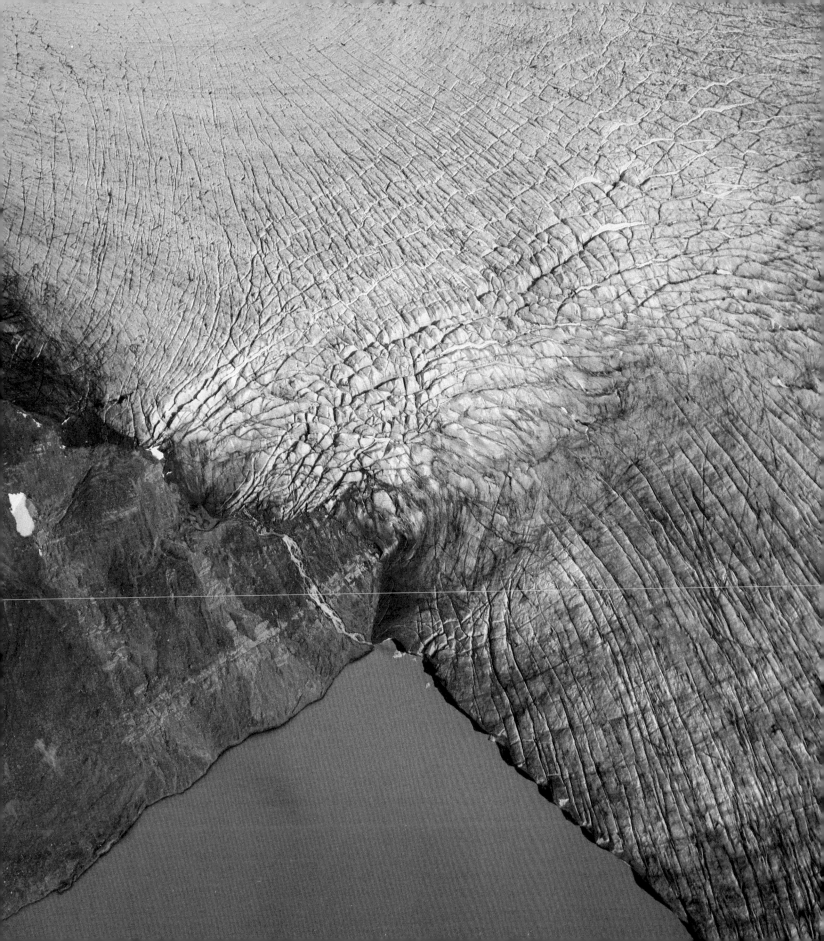

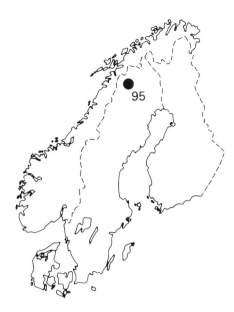

Rapadalen

Sareks nationalpark, Lappland
Grundad 1909
27.7.1979

The greyish, sludgy water of the glacial stream, the cut-off lagoons with clear, dark water, and the mottled grey of the sand banks are clear hints that the Rapaälven River has filled up an old mountain lake almost to the brim. The Rapadalen Valley is over 30 miles long.

L'eau grisâtre et boueuse de la rivière, les lagunes décousues aux eaux tantôt noires tantôt limpides et les incrustations grises dans les bancs de sable témoignent de l'éxistance d'un lac disparu. La vallée de Rapadalen est longue de 50 km.

Die blaugrauen, schlammreichen Wasser des Gletscherflusses, die abgeschnürten Lagunen mit klarem, dunklem Wasser und die seidengrau marmorierten Sandbänke beweisen, daß der Fluß Rapaälven einen alten Gebirgsee fast ganz ausfüllte. Das Rapatal ist 50 km lang.

Jökeljoen sinisenharmaa, liejuinen vesi, kuroutuneet laguunit, joiden vesi on kirkasta ja tummaa ja silkinharmaasti juovikkaat hiekkasärkät todistavat että Rapaälven tässä on melkein kokonaan täyttänyt vanhan tunturijärven. Rapadalen on 50 km pitkä.

Jökelälvens blågrå, slamrika vatten, de avsnörda lagunerna med klart, mörkt vatten och de i sidengrått marmorerade sandbankarna vittnar om att Rapaälven här nästan helt har fyllt en gammal fjällsjö. Rapadalen är fem mil lång.

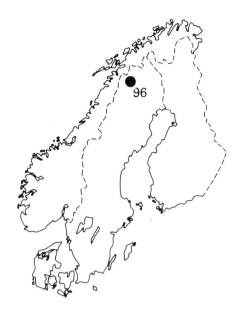

Sitojaure

Kungsleden, Lappland
27.7.1979

The hiker on Kungsleden — the Royal Trail — crosses the lake Sitojaure by boat. This is the right way to enjoy the majestic calm of these mountains and restore your powers to cope with the troubles of everyday life.

Les marcheurs empruntant l'itinéraire Kungsleden croisent en bateau le lac Sitojaure, large de 20 km. Au passage, le voyageur est saisi par le calme impassible du cadre majestueux.

Der Gebirgswanderer auf den Königspfad überquert den 20 km langen See Sitojaure mit dem Boot. Hier kann der Wanderer in vollen Zügen die majestätische Ruhe der Gebirgswelt erleben und neue Kräfte für den alltäglichen Kampf im Leben der Großstadt schöpfen.

Tunturiretkeilijä joka seuraa Kungsledeniä ylittää yli 20 km pitkän Sitojaurejärven veneellä. Täällä retkeilijä saa runsain mitoin nauttia tunturimaailman majesteettisesta rauhasta ja koota uusia voimia suurkaupungin arkiseen aherrukseen.

Fjällvandraren som följer Kungsleden korsar den över 2 mil långa sjön Sitojaure med båt. Här får vandraren i rikt mått uppleva fjällvärldens majestätiska lugn och hämta nya krafter till vardagsslitet i storstaden.

Kirunavaara

Kiruna, Lappland
1.8.1980, 400 m

Strip mining of iron ore — a vein up to 600 feet thick in places — has left enormous scars in the Kirunavaara and Luossavaara mountains. Today, ore extraction continues in the largest underground mine in the world, partly beneath the Luossajärvi lake.

D'une largeur variant de 40 à 196 m, le gisement de minerai de fer traversait les montagnes Kirunavaara et Luossavaara. Les profondes crevasses ont pour origine l'exploitation à ciel ouvert. L'abattage du minerai se poursuit actuellement dans la mine souterraine, en dessous du lac Luossajärvi notamment.

40—196 m breit streckte sich die Eisenerzader durch die Berge Kirunavaara und Luossavaara, wo der Erzabbau im Tagebau klaffende Schluchten hinterließ. Jetzt erfolgt der Abbau in der größten unterirdischen Grube der Welt, auch unter dem See Luossajärvi.

Rautamalmisuoni kulki 40—196 m:n levyisenä Kirunavaaran ja Luossavaaran tunturien läpi, jossa päivälouhiminen on jättänyt ammottavia kuiluja. Nyt jatkuu louhiminen maailman suurimmassa maanalaisessa kaivoksessa, mm. Luossajärven pohjan alla.

40—196 m bred gick järnmalmsådern genom Kirunavaara och Luossavaara fjäll, där dagbrytning lämnat gapande klyftor. Nu fortsätter brytningen i världens största underjordsgruva, bl.a. under sjön Luossajärvi.

98

Kuorpak

Ultevis, Lappland
27.7.1979, 150 m

Reindeer herds belonging to many owners — all Lapps, for the law grants them a monopoly on this — mingle and merge on the open summer pastures in the mountains. So every autumn there has to be a roundup. The animals are brought into the centre circle, lassoed one by one and led to their separate folds.

Pendant l'été, les rennes forment d'immenses troupeaux. L'automne venu, chaque propriétaire veut reprendre possession de son cheptel et sépare les animaux en petits groupes dans ces enceintes, avant de redescendre dans les pâturages hibernaux.

Auf der Sommerweide vermischen sich immer die Renntierherden der verschiedenen Besitzer. Deshalb muß man alljährlich im Herbst die Renntiere in besonderen Einzäunungen trennen. Die Herden werden für die Winterweide unten im Waldland in kleinere Gruppen aufgeteilt.

Kesän aikana sekoittuvat aina eri omistajien porot, ja siitä syystä järjestetään syksyllä poroerotuksia erityisissä aitauksissa ja porolaumat jaetaan pienempiin ryhmiin talvilaidunta varten alempana olevassa metsämaastossa.

Under sommaren blandas alltid olika ägares renar, och därför ordnas på hösten renskiljningar i speciella inhägnader och renhjordarna uppdelas i mindre grupper för vinterbetet nere i skogslandet.

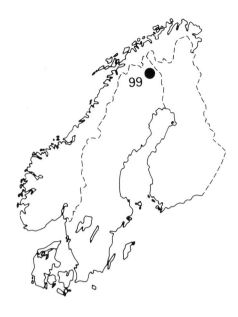

Esrange raketskjutfält

Esrange Research Station, Kiruna, Lappland
19.7.1982, 300 m

This is where the road ends and the wilderness begins. The area between Jukkasjärvi, Karesuando and Kilpisjärvi is almost without roads, the largest unsettled part of Sweden. Like an arrow aimed at the future, the aerial points toward space.

Ici s'arrête la route au contrefort de la région inhabitée. Dans le triangle formé par les localités de Jukkasjärvi, Karesuando et Kilpisjärvi, le territoire sans chemin s'étend par delà les montagnes bleues, région sauvage où personne ne s'aventure. Tel un fer de lance, le mât d'antenne pointe vers l'espace.

Hier endet die Straße und die Einöde beginnt. Zwischen Jukkasjärvi, Karesuando und Kilpisjärvi breitet sich ein wegloses Land "hinter den blauen Bergen" aus, Schwedens größte, unberührte Wildmark. Wie eine Pfeilspitze, ein in die Zukunft gerichteter Pfeil, strebt der Antennenmast in den Weltraum.

Tässä loppuu tie, tässä alkaa erämaa. Jukkasjärven, Karesuandon ja kolmen valtakunnan pyykin välillä avartuu tietön maa "sinisten vuorten takana", Ruotsin suurin koskematon erämaa. Kuten keihäänkärki, kuten tulevaisuuteen tähtävä nuoli viittaa antennimasto avaruutta kohti.

Här slutar vägen, här börjar också ödemarken. Mellan Jukkasjärvi, Karesuando och treriksröset vid Kilpisjärvi utbreder sig ett väglöst land "bortom de blå bergen", Sveriges största obrutna vildmark. Som en spjutspets, en pil riktad mot framtiden pekar antennmasten mot rymden.

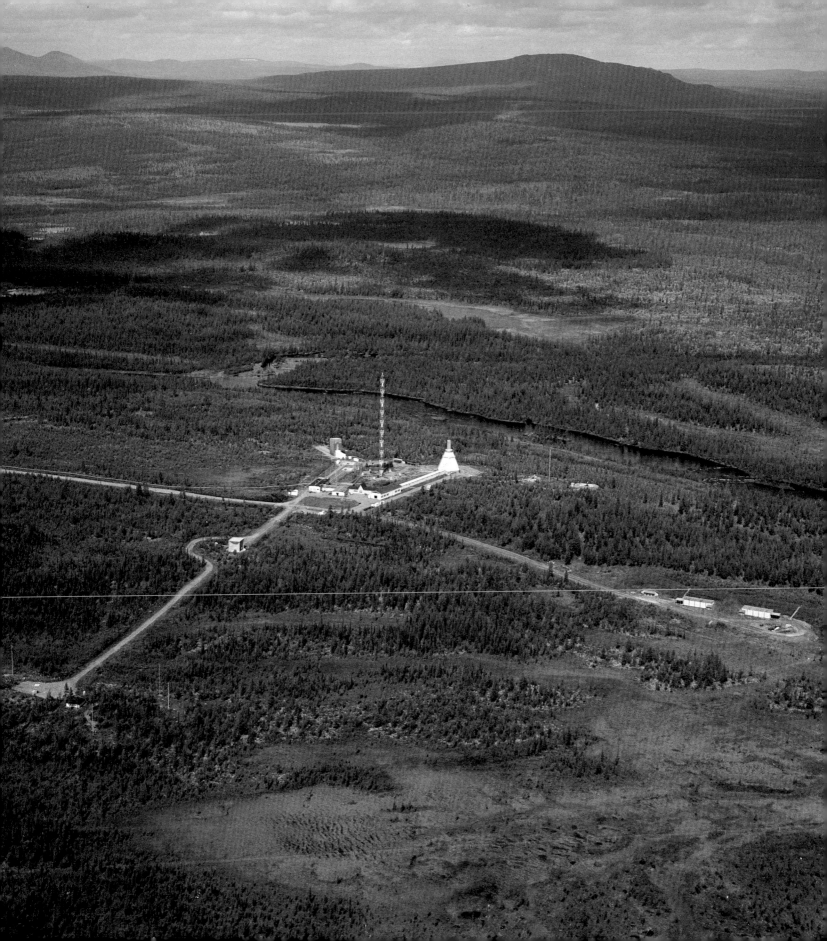

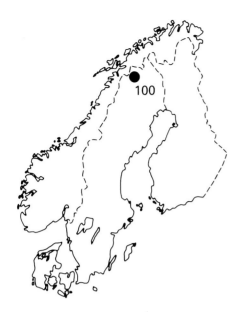

Kebnekaise

Lappland
2111 m ▲
27.7.1980

The southern peak of Sweden's highest mountain is free from snow at 2097 metres (6880 ft) above sea level. But the slightly higher northern peak at the opposite end of the ridge is covered by a small glacier. It used to be 11−20 feet higher than today, when more ice and snow covered the summit.

Le pic sud de la plus haute montagne de Suède est parfaitement nu malgré son altitude de 2097 m. Le pic nord, à droite, est coiffé d'une petite calotte glacière. Il y a quelques décennies, l'altitude était de 5 à 6 mètres plus élevée que de nos jours.

Der Südgipfel des höchsten Berges Schwedens liegt schneefrei auf 2097 m über dem Meer, während der höhere Nordgipfel in der Fortsetzung des Kammes rechts sich unter einem kleinen Gletscher verbirgt. Er war früher 5−6 m höher als jetzt, als noch mehr Schnee und Eis auf dem Gipfel lagen.

Ruotsin korkeimman vuoren etelähuippu on lumeton 2097 m yli merenpinnan kun taasen korkeampi pohjoishuippu harjanteen jatkossa oikealla kätkeytyy pienen jäätikön alle. Se on ollut 5−6 m nykyistä korkeampi silloin kun sen huipulla on ollut enemmän jäätä ja lunta.

Sydtoppen på Sveriges högsta berg ligger snöfri på 2097 m ö.h. medan den högre nordtoppen i fortsättningen på kammen t.h. döljs under en liten glaciär. Den har varit 5−6 m högre än nu när det legat mer snö och is på toppen.